ESTE BARCO TAMBÉM É SEU

Capitão-de-mar-e-guerra D. Michael Abrashoff
O comandante que reinventou a gestão do USS *Benfold*

ESTE BARCO TAMBÉM É SEU

PRÁTICAS INOVADORAS DE GESTÃO QUE LEVARAM O USS *BENFOLD* A SER O MELHOR NAVIO DE GUERRA DA MARINHA AMERICANA

Tradução
HENRIQUE A. R. MONTEIRO

Revisão técnica
CAPITÃO-DE-FRATAGA ALBERTO PEDRASSANI COSTA NEVES

Editora Cultrix
SÃO PAULO

Título original: *It's Your Ship*.

Copyright © 2002 Capitão D. Michael Abrashoff.

Publicado mediante acordo com Grand Central Publishing, uma divisão da Hachette Book Group Inc., USA.

Copyright da edição brasileira © 2006 Editora Pensamento-Cultrix Ltda.

1ª edição 2006.
16ª reimpressão 2024.

Todos os direitos reservados. Nenhuma parte desta obra pode ser reproduzida ou usada de qualquer forma ou por qualquer meio, eletrônico ou mecânico, inclusive fotocópias, gravações ou sistema de ar-mazenamento em banco de dados, sem permissão por escrito, exceto nos casos de trechos curtos citados em resenhas críticas ou artigos de revistas.

A Editora Cultrix não se responsabiliza por eventuais mudanças ocorridas nos endereços convencionais ou eletrônicos citados neste livro.

Dados Internacionais de Catalogação na Publicação (CIP)
(Câmara Brasileira do Livro, SP, Brasil)

Abrashoff, D. Michael

 Este barco também é seu : práticas inovadoras de gestão que levaram o USS *Benfold* a ser o melhor navio de guerra da Marinha americana / Capitão-de-Mar-e-Guerra D. Michael Abrashoff ; tradução Henrique A. R. Monteiro. -- São Paulo : Cultrix, 2006.

 Título original: It´s your ship : management techniques from the best damn ship in the navy.
 ISBN 978-85-316-0944-2

1. Abrashoff, D. Michael 2. Benfold (Destroyer) 3. Comandantes de navio - Estados Unidos -Biografia 4. Comando de tropas 5. Estados Unidos. Marinha - Administração 6. Estados Unidos. Marinha - Oficiais - Biografia 7. Liderança I. Título.

6-4617   CDD-658.4092

Índices para catálogo sistemático:
1. Liderança executiva : Administração 658.4092

Direitos de tradução para o Brasil adquiridos com exclusividade pela
EDITORA PENSAMENTO-CULTRIX LTDA.
que se reserva a propriedade literária desta tradução.
Rua Dr. Mário Vicente, 368 — 04270-000 — São Paulo, SP
Fone: (11) 2066-9000
E-mail: atendimento@editoracultrix.com.br
http://www.editoracultrix.com.br
Foi feito o depósito legal.

Em memória do Sargento Edward C. Benfold e dos oficiais e tripulantes que navegaram comigo nesse navio, batizado em homenagem a ele.

SUMÁRIO

Prefácio / 9
Introdução / 13

Capítulo 1
Assuma o Comando / 21

Capítulo 2
Lidere pelo Exemplo / 39

Capítulo 3
Ouça com o Máximo de Atenção / 49

Capítulo 4
Comunique o Objetivo e o Sentido / 57

Capítulo 5
Crie um Clima de Confiança / 67

Capítulo 6
Busque Resultados, Não Elogios / 83

Capítulo 7
Assuma Riscos Calculados / 103

Capítulo 8
Vá Além do Procedimento Padrão / 115

Capítulo 9
Prepare o Seu Pessoal / 135

Capítulo 10
Estimule a União / 159

Capítulo 11
Melhore a Qualidade de Vida do Seu Pessoal / 175

Capítulo 12
A Vida Após o Benfold / 187

Epílogo
Além do Benfold / 195

Agradecimentos / 199

PREFÁCIO

Quem busca uma cultura de paz pode aprender alguma coisa útil com a história de sucesso de um navio de guerra? Até que ponto a gestão de uma embarcação que procurou ser a melhor da sua categoria pode servir de referência para organizações privadas e públicas que visem atender às necessidades da sociedade? Já não basta o marketing de guerra? Agora temos também a gestão de guerra para servir como referência (ou modismo)?

Essas são algumas das questões que podem vir à mente das pessoas que vêem pela primeira vez este livro. Algumas podem achar que ele vem a calhar, pois indica que a gestão tem de se inspirar nos preceitos militares. Afinal, a estrutura das organizações modernas não se baseia na arte da guerra? Não foi dela que vieram termos tão comuns ainda hoje, como quartel-general, estratégia, tática, linha de comando e tantas outras? Outras pessoas podem torcer o nariz e se recusar a abrir o livro. Afinal, a gestão corporativa tem de visar à cooperação e não à vitória de alguns e à derrota de outros. As fontes de inspiração devem estar em outros campos da ação humana e da natureza. Dependendo do que cada um busque ou ache que vai encontrar, todos podem estar certos. Ou errados. Então, como ficamos?

Um ponto de partida interessante pode ser considerar este livro uma obra sobre pessoas, sobre seres humanos. Seres humanos que têm uma história de vida, muitas vezes sofrida, limitada, cheia de percalços, frustrações, decepções; e também cheia de demonstrações de coragem, desafios estimulantes, companheirismo, alegria, realizações. Histórias que revelam o caráter das pessoas que as escreveram. Este também é um livro sobre o potencial de cada pessoa e sobre como ele pode florescer de modo surpreendente, se lhe proporcionarem as condições adequadas e uma liderança inspiradora. Além disso, este é um livro sobre os motivos que levam as pessoas a agir. Não os motivos mais elementares, superficiais, ilusórios, mas os motivos profundos, que inspiram o sentimento de que se realizou algo importante para o mundo.

Também convém olhar este livro como uma fonte extremamente rica de lições sobre as competências que transformam um "comandante" num líder genuíno, capaz de mobilizar as melhores energias das pessoas com as quais trabalha. São competências sutis, como saber ouvir com atenção; praticar a aceitação positiva incondicional; elevar a auto-estima por meio da proposição de "equações impossíveis" (aquilo que queremos mas ainda não sabemos como obter), voltadas para a superação de limites; utilizar estratégias muito bem elaboradas para vencer quaisquer ortodoxias ("Sempre foi feito assim, gerou sucesso no passado e, portanto, está fora de discussão").

Para desenvolver essas competências, o líder precisa encarar alguns desafios significativos. O primeiro é questionar seus próprios modelos mentais, a "formatação" do seu pensamento, que muitas vezes funciona como um filtro pelo qual passa apenas o que se ajusta ao que já é conhecido e aceito como verdade. O segundo é criar um ambiente de confiança inequívoca, no qual todas as pessoas do grupo possam externar livremente não apenas suas idéias, mas também seus anseios, medos e fraquezas. Um ambiente em que as pessoas (inclusive o líder) possam admitir e aceitar a própria vulnerabilidade. E, por fim, o desafio de estabelecer um propósito claro, muito bem articulado, que possa ser entendido sem dubiedades por todos os que compõem o grupo, sem exceção. Além disso, é necessário levar em conta que a realização desse propósito precisará contar com um sólido conjunto de princípios que sejam a expressão de valores inegociáveis e inalienáveis. O desafio do líder, nesse caso, é chegar a um consenso sobre quais são os princípios que serão levados em conta.

Outro ponto fundamental para a apreciação deste livro é aprofundar os níveis das abstrações que podem ser feitas. A abstração de primeiro nível é aquela em que se buscam situações semelhantes às relatadas para, por meio de analogias, vislumbrar possibilidades de ação. A abstração de segundo nível é identificar os modelos mentais, as premissas por trás da maneira como as situações foram trabalhadas e, assim, verificar se tais premissas estão presentes nas situações análogas e como vão atuar sobre elas. O terceiro nível de abstração busca os princípios fundamentais que levaram às decisões tomadas nas situações descritas. Nesse nível é bem provável que se encontrem analogias mais intensas e produtivas, pois os princípios podem ser a expressão de valores universais. Por exemplo, no Capítulo Quatro, sobre comunicar o objetivo e o sentido, o autor comenta sobre um operador de rádio que, por iniciativa própria, descobriu como resolver, durante a crise com o Iraque em 1997, um problema crítico de comunicação que poderia trazer conseqüências gravíssimas. Trabalhando com afinco, ele descobriu como resolver falhas graves que geravam enorme congestionamento e ainda potencializar a capacidade do sistema. Ele fez isso por ser extremamente competente, estar num ambiente de trabalho que valorizava a iniciativa e ter uma idéia precisa do propósito do seu trabalho. Uma abstração de primeiro nível pode ser a necessidade de o gestor conhecer muito bem os integrantes de sua equipe e dar-lhes autonomia para revelar seu potencial. No segundo nível, uma possível abstração pode ser a premissa do gestor de que, além de dar condições materiais para que a equipe realize suas tarefas, ele precisa garantir que ela saiba por que faz o que faz. No terceiro nível, a abstração pode ser a convicção de que o valor da vida se sobrepõe a tudo e, portanto, nenhum esforço é exagerado ou excessivo quando a vida está em jogo. Como gestores, como cada um de nós avalia a própria atuação com respeito a essas abstrações?

As histórias podem ser encaradas e compreendidas como metáforas, a descrição de algo por meio de algo semelhante. Este é um livro de histórias. De metáforas, portanto. Nesse sentido, não importa que o cenário seja um navio de guerra. Ele é o invólucro, a embalagem, como nas histórias de "O Rei Artur e os Cavaleiros da Távola Redonda" ou "A Raposa e as Uvas". Essas histórias também são metafóricas. Por serem abertas, as metáforas têm significados diferentes dependendo da pessoa ou do momento. O que você vai encontrar neste livro, portanto, será aquilo que você acredita que encontrará. O que você vai procurar?

Tarcísio Cardieri
Diretor da Amana-Key

INTRODUÇÃO

A minha história poderia ser intitulada "Os Ensinamentos do USS *Benfold*", um contratorpedeiro* armado com mísseis teleguiados que comandei durante vinte meses, a partir de junho de 1997. Comissionado em 1996 para o serviço naval na Esquadra do Pacífico, o navio é uma máquina de combate admirável: 8.600 toneladas de blindagem protegendo o mais avançado arsenal de mísseis computadorizados da Marinha americana; um sistema de radares capaz de rastrear um objeto do tamanho de um pássaro a 80 quilômetros de distância; uma tripulação altamente treinada de 310 homens e mulheres; e quatro turbinas a gás capazes de impulsionar o navio a mais de 30 nós — ou mais de 55 quilômetros por hora —, a velocidade que ele alcança em combate, deixando atrás de si uma esteira parecida com uma imensa cauda de galo.

Receber essa embarcação espetacular para o meu primeiro comando no mar era emocionante, mas ao mesmo tempo irônico. Era uma oportunidade imperdível, mas num setor conturbado. Os militares americanos gastam uma boa quantidade de tempo e dinheiro preparando-se para batalhas no futuro mas com métodos antiquados. Continuamos a investir nas últimas tecnologias e sistemas, mas, como todos sabemos, a tecnologia é apenas um facilitador. São as pessoas que operam o equipamento que nos dão a vantagem em combate, e parecíamos ter tomado o caminho errado no que se refere a ajudar essas pessoas a crescer.

---

* Contratorpedeiro: navio rápido e manobrável, dotado de uma variedade de armamentos e com múltiplo emprego. (N.R.)

As estatísticas eram alarmantes. Nos últimos anos, aproximadamente 35 por cento, ou quase 70.000, das 200.000 pessoas que entraram para as Forças Armadas anualmente não iam até o fim do tempo de serviço previsto no seu contrato de alistamento. Embora a maioria deixasse o serviço involuntariamente, essa atitude não era necessariamente um reflexo do seu caráter. Dentre aqueles que completaram o seu primeiro período, uma porcentagem muito pequena se realistou — um número praticamente insuficiente para atender à necessidade de tripulantes experientes. Pior ainda, os melhores talentos geralmente eram os primeiros a sair. Considerando que são necessários 35.000 dólares para recrutar um aprendiz e mais dezenas de milhares em custos adicionais de treinamento para formar o novo pessoal para o nível básico de competência, o preço desse desgaste para os contribuintes era desconcertante. E isso era apenas o começo, uma vez que os que saíam voltavam para casa e faziam uma publicidade negativa contra o nosso recrutamento, tornando ainda mais difícil convencer outros candidatos a se alistar.

Poderíamos e deveríamos apresentar um rendimento melhor para os 325 bilhões de dólares investidos anualmente no orçamento de Defesa. Além de garantir a segurança e a defesa nacionais, devíamos oferecer uma experiência de formação de vida que moldasse o caráter dos jovens, homens e mulheres, tornando-os cidadãos com importantes contribuições para dar ao grande país que são os Estados Unidos.

Como navio de guerra, a despeito da sua potência, o *Benfold* não estava preparado para uma ameaça de ataque como deveria. Incapacitado, o navio tinha uma tripulação mal-humorada, que se ressentia de estar ali e não via a hora de deixar o serviço na Marinha. A conquista de que tenho mais orgulho na minha vida foi a de transformar essa tripulação em uma equipe coesa e entrosada, que podia se gabar — com toda a razão, achavam muitos — de que o *Benfold* era o melhor navio de guerra de toda a Marinha americana.

Ofereço as minhas experiências, os meus sucessos e os meus fracassos não só porque constituem uma boa história, embora eu ache que constituam. Ofereço-os como um guia prático para qualquer líder em qualquer negócio ou organização. Assim como a Marinha, a comunidade empresarial precisa descobrir como ajudar as pessoas a crescer. Uma recente pesquisa do instituto Gallup mostrou que, quando as pessoas deixam a empresa em que trabalhavam, 65 por cento delas estão na verdade deixando os seus gerentes. O que se aplica à Marinha também vale para os negócios, os líderes estão cometendo falhas — e os custos são assustadores. Estimativas conservadoras calculam o custo de perder um funcionário treinado em uma vez e meia o salário anual do funcionário demissionário, conforme avaliado pela perda de produtividade e pelos custos de recrutamento e treinamento para a respectiva substituição.

O que todos os líderes têm em comum é o desafio de obter o máximo da sua equipe, e isso depende de três variáveis: as necessidades dos líderes, o clima na organização e a competência potencial da equipe. Neste livro, pretendo explicar como a Marinha e outras organizações geralmente equilibram mal essas variáveis e acabam se prejudicando. Estou firmemente comprometido em ajudar qualquer líder em qualquer nível, nos negócios ou no meio militar, a criar uma fórmula capaz de tornar essas variáveis 100 por cento eficazes.

Líderes excepcionais sempre foram raros, mas, além de já nascerem líderes, também podem ser formados, e o caso do *Benfold* é um exemplo típico. Mas a história também passa uma idéia de algo muito maior do que a transformação de um comandante e a sua tripulação. Os ataques terroristas contra os Estados Unidos em 11 de setembro de 2001 provocaram um medo mundial do apocalipse, de que o mundo racional pode se recobrar apenas com a ajuda de lideranças inspiradas em todos os níveis da sociedade — igrejas, famílias, escolas, hospitais, tribunais, o Congresso e o palácio do governo. Dentre esses, as empresas e as unidades militares estão entre as organizações mais necessitadas de lideranças fantásticas, porque conduzem e preservam a estabilidade econômica. Gravemente abalados, mas dificilmente desencorajados ou intimidados, os americanos das empresas e dos meios militares devem agora ajudar a reviver a economia mundial e vencer uma guerra planetária sem limites.

A crise produz líderes, como vimos durante aquelas semanas de setembro, quando a morte chovia dos céus imaculados do outono e pessoas comuns tornaram-se extraordinárias. Agora, podemos encarar uma série de crises por todo o mundo, e a necessidade de líderes constantes pode ser tão inquietante quanto a crise em si mesma.

Espero que este livro ajude a todos aqueles subitamente desafiados, como eu fui, com a compreensão de que a liderança se conquista, não é designada.

Em resumo, a experiência difícil ensinou-me que a verdadeira liderança tem a ver com a compreensão de si mesmo em primeiro lugar, e em seguida usando esse aprendizado para criar a melhor organização possível. Os líderes devem liberar os seus subordinados para desenvolver os seus talentos ao máximo possível. No entanto, a maioria dos obstáculos que limitam o potencial das pessoas é provocada pelo líder e está enraizada nos próprios medos dele, nas necessidades do ego e em hábitos improdutivos. Quando os líderes examinam profundamente os seus pensamentos e sentimentos para entender a si mesmos, pode acontecer uma verdadeira transformação.

Essa compreensão muda a perspectiva do líder em todas as interações da vida e ele passa a encarar a liderança de um plano completamente diferente. Como conseqüência, as escolhas do líder serão diferentes daquelas que ele fez quando estava cego pelo medo, pelo ego e pelo hábito. Mais importante ainda, os outros começam a vê-lo como uma pessoa mais autêntica, o que por sua vez reforça o novo comportamento. Isso pode melhorar enormemente a maneira como as pessoas reagem aos seus líderes e torna mais provável a sua lealdade à fonte de gratificação: o meu navio, a sua empresa, os seus colegas, a cultura que lhes dá um sentido e um objetivo à vida.

Sem dúvida, a sua organização tem uma meta pragmática e obviamente não foi criada para ser um retiro terapêutico. A tarefa do meu navio era a guerra; o objetivo da sua empresa é o lucro. Mas não conseguimos nada mandando as pessoas agirem do modo como queremos. Mesmo que isso traga benefícios a curto prazo, as conseqüências talvez resultem devastadoras. A minha experiência demonstrou que ajudar as pessoas a realizar o seu pleno potencial pode levá-las a atingir metas que seriam impossíveis de alcançar sob o método de "comando e controle".

Embora a economia estivesse crescendo em larga escala, acenando com empregos de alta tecnologia para os jovens qualificados, a Marinha aceitava milhares de jovens que pareciam estar longe de participar da prosperidade do país. O nosso trabalho era transformá-los em especialistas em alta tecnologia — operadores-mestres de navios de guerra do mais alto nível, que custavam bilhões de dólares. Mais do que tudo, precisávamos moldá-los em homens e mulheres confiantes, plenamente capazes de servir ao seu país em momentos de perigo e em lugares desconhecidos. Fizemos tudo isso, jogando com os mesmos trunfos com que o meu predecessor contou. Não demitimos nem substituímos ninguém. Aproveitamos o potencial que nunca havia sido reconhecido.

INTRODUÇÃO

Esse sucesso impressionante do *Benfold* não é necessariamente um testamento deixado à Marinha americana, que ainda conta com uma gama muito variada de líderes, mas antes um testemunho do método que descobri, e um legado aos meus companheiros de navio, que mais do que justificaram a minha fé e a minha confiança neles.

Nos capítulos a seguir, procuro detalhar as idéias e as técnicas que usei para ganhar a confiança dos meus marinheiros e, finalmente, o seu compromisso entusiástico em relação à nossa meta conjunta de tornar o nosso navio o melhor da esquadra. Este livro narra episódios da viagem de dois anos do *Benfold* através de águas não cartografadas da liderança, e é organizado em torno das lições que eu aprendi. Cada uma delas ganhou um capítulo separado: liderar pelo exemplo; ouvir com o máximo de atenção; compartilhar o objetivo e o sentido; criar um clima de confiança; buscar resultados, não elogios; assumir riscos calculados; ir além do procedimento padrão; desenvolver a confiança do pessoal; estimular a união; e melhorar a qualidade de vida do pessoal o máximo possível.

Na Escola Naval, estudamos a história dos legendários líderes militares — de Alexandre, o Grande, a Dwight D. Eisenhower —, mas eu sentia que faltava alguma coisa nesses perfis. Os biógrafos enumeravam as vitórias e os gestos heróicos, mas os meus anos na Marinha me ensinaram que a arte da liderança reside em coisas simples — atitudes baseadas no bom senso asseguram o moral elevado e aumentam as possibilidades de vitória.

Os líderes devem estar dispostos a colocar o desempenho do navio adiante do seu ego, o que para algumas pessoas pode ser mais difícil do que para outras. O estilo de comando e controle está longe de ser o mais eficaz no sentido de aproveitar a inteligência e as habilidades das pessoas. Ao contrário, descobri que quanto mais eu abria mão do controle, mais comando eu tinha. No começo, as pessoas continuavam a pedir permissão para fazer as coisas. No fim, eu disse à tripulação: "Este barco também é seu". Vocês são responsáveis por ele. Tomem uma decisão e vejam o que acontece". Daí o lema do *Benfold* passou a ser: "Este barco também é seu". Todo marinheiro sentia que o *Benfold* era a sua própria responsabilidade. Mostre-me uma organização em que os funcionários sentem-se como donos e eu lhe mostro uma empresa melhor que a concorrência.

Os comandantes precisam ver o navio do ponto de vista da tripulação. Eles precisam facilitar a expressão e a exposição de idéias para os tripulantes e recompensá-los por isso, e precisam descobrir como e quando delegar responsabilidade.

Assumi o comando compreendendo que podia seguir por um caminho ou por outro. Um seria não fazer nada por dois anos, ficar quieto e assumir os riscos. Todos conhecemos almas frias, tímidas; eu mesmo posso ter sido assim quando galgava postos na carreira. O problema — o maior problema da Marinha — é que, se eu tivesse continuado dessa maneira e não feito nada por dois anos, provavelmente ainda seria promovido.

O caminho mais perigoso, pelo menos para a minha carreira, seria chacoalhar tudo, balançar o barco para conseguir o verdadeiro desempenho excepcional que eu achava que precisava. E foi o que eu fiz. Quando cheguei ao *Benfold,* vinha de uma experiência de dezesseis anos em liderança na Marinha — e o que compreendi de repente foi que tinha o poder de fazer isso o tempo todo. Só que nunca me senti suficientemente confiante para tanto.

Nos negócios, como na Marinha, existe o consenso de que "eles" não querem que as regras sejam questionadas ou desafiadas. Para os funcionários, "eles" são os gerentes; para os gerentes, "eles" são a diretoria. Trabalhei muito para convencer a minha tripulação de que eu queria que as regras fossem questionadas e desafiadas, e que "eles" éramos "nós". Uma das maneiras pelas quais demonstrei o meu empenho foi questionando e desafiando as regras perante os *meus* chefes. No final, tanto os chefes quanto a minha tripulação me escutaram.

Como consegui seguir em frente com esse método na hierarquia notoriamente rígida da Marinha? Uma resposta é que a Marinha tinha tantos problemas que os superiores estavam desesperados o bastante para dar espaço às pessoas para experimentar coisas novas. Mas igualmente importante, descobri uma maneira de fazer mudanças sem pedir permissão a uma autoridade superior. Com efeito, coloquei-me no lugar do meu chefe, então perguntei: "O que eu quero de Abrashoff e do *Benfold?*" O que o chefe queria, concluí, era um navio que atendesse a todos os compromissos operacionais e com um alto índice de retenção do seu pessoal. Pensei que, se pudesse conseguir essas coisas, o meu chefe me deixaria em paz. Ele se concentraria em outros navios que não estivessem obtendo os mesmos resultados.

Também tomei o cuidado de agir da maneira menos temerária possível. Nenhuma das minhas ações teria o pendor de levar a empresa à falên-

INTRODUÇÃO

cia ou de prejudicar a carreira de alguém. Assumi riscos com prudência, riscos calculados, do tipo que pensei que o meu chefe gostaria que eu assumisse. Nem uma vez fiz alguma coisa para me promover, apenas para promover a organização. Dessa maneira, ninguém poderia nunca questionar os meus motivos.

Com certeza, quando obtive os resultados que perseguia, o meu comodoro (o comandante operacional de um esquadrão de seis navios) ficou impressionado. Ele começou a enviar os outros comandantes ao *Benfold* para que descobrissem o que estávamos fazendo e pudessem implementar o mesmo nos seus navios. Os resultados melhoraram o negócio e o meu comodoro recebeu o crédito, então os riscos foram claramente do interesse dele. Essa é a única maneira de fazer acontecer coisas boas na sua empresa.

Muitas pessoas acham que correr risco é uma maneira segura de colocar a carreira em perigo, mas essa sensatez convencional não é uma maneira de ajudar a organização a continuar viva e forte. As organizações deveriam recompensar aqueles que correm riscos, mesmo se falharem de vez em quando. Deixem-nos saber que as promoções e a glória vão para os inovadores e pioneiros, não aos acomodados que temem a controvérsia e evitam tentar melhorar alguma coisa. Para mim, esse é o segredo de manter uma organização jovem, viva, crescendo e bem-sucedida. A estagnação, o estado de impotência, é a morte para qualquer organização. Evoluir ou morrer: é a lei da vida. As regras que faziam sentido quando foram escritas podem muito bem estar obsoletas. Se for esse o caso, acabe com elas também.

É claro que tentar algo novo nunca é fácil. Antes de mais nada, não existe nenhum precedente para orientar você. Mas isso pode ser uma coisa muito boa.

Proferi a minha primeira palestra numa conferência de dois dias patrocinada pela revista *Fast Company*, para 600 pessoas. Comigo, estavam Dee Hock, fundador da Visa International, e Tom Peters, talvez mais conhecido pelo seu livro *In Search of Excellence*. Depois que falei sobre o *Benfold,* as perguntas começaram, e eu tremi no íntimo. A pior foi: "Que tipo de critério de avaliação você usou quando estava determinando onde queria chegar?"

Fiquei ali parado como um gato diante dos faróis de um carro. Eu estava com tanta pressa de mudar a maneira como trabalhávamos, que deixei de lado o conhecimento empresarial convencional sobre como implementar as mudanças. O público tentou abafar as risadas.

Mais tarde, telefonei para a minha irmã Connie, que tinha o grau de MBA e trabalhara para importantes instituições financeiras em todo o país. Ela disse que a comissão gestora sempre quer ver o sistema de avaliação antes de permitir que você ponha em prática novas idéias. Considerando, por definição, que as novas idéias não têm instrumentos de avaliação, o resultado é que as grandes idéias tendem a ser natimortas nas maiores empresas da atualidade.

Eu simplesmente sabia como o *Benfold* estava quando cheguei e geralmente visualizava onde queria que chegássemos a partir dali. Se tivesse sido forçado a mapear o curso definido pelos instrumentos de avaliação, a criatividade que inspiramos e as mudanças que conseguimos provavelmente não teriam acontecido.

Ainda assim, sem os instrumentos de avaliação, como eu poderia decidir se algo novo era uma boa idéia? Não havia garantias. A vida nem sempre é segura, e muitas vezes, de ações bem-intencionadas resultam conseqüências não intencionais. No geral, contudo, decidi que em tudo o que eu fazia o meu padrão deveria ser simplesmente a sensação que eu tinha de que se tratava da coisa certa a fazer. Você nunca vai errar se fizer "a coisa certa".

Como você define a coisa certa? Conforme observou o juiz da Suprema Corte americana Potter Stewart em relação à pornografia, você sabe quando você vê. Se parece certo, tem o cheiro certo, o gosto certo, é quase certo que seja a coisa certa — e você estará no caminho certo.

Se isso não parece muito profundo e sofisticado, na Marinha, nos negócios e na vida realmente é tão simples assim.

Espero e acredito que este livro possa ajudar os líderes de empresas tanto grandes quanto pequenas a compreender que eles têm o potencial de ser líderes fenomenais, simplesmente como aconteceu comigo por muitos anos antes de me decidir a usá-lo. Oxalá a minha história ajude você a desenvolver a sua confiança. Embora um contratorpedeiro armado com mísseis teleguiados não seja a Procter & Gamble, as políticas de gestão antiquadas da Marinha não são tão diferentes das que ainda governam muitas corporações. Como líder, você pode mudar o seu pedaço de mundo, assim como eu fui capaz de mudar o meu.

O barco também é seu.

CAPÍTULO UM

ASSUMA O COMANDO

A primeira vez que me dei conta do tamanho da tarefa que eu tinha em mãos foi às 13h21 de 20 de junho de 1997, depois que formalmente assumi o comando do USS *Benfold*.

Quando um navio da Marinha americana muda de mãos, toda a rotina de trabalho pára duas semanas antes do evento. A tripulação pinta o navio de cima a baixo, monta um grande toldo no convés de vôo, distribui cadeiras para os dignitários e estende um tapete vermelho para o almirante, que profere o discurso sobre o notável desempenho do comandante que deixa o navio. Segue-se uma recepção. Ondas de bom sentimento saturam o acontecimento enquanto o comandante que sai é despedido com um apito para a terra firme.

O meu predecessor estava acompanhado da família quando deixou o navio. E no momento em que o sistema de alto-falantes anunciou para o público a partida dele, uma parte considerável da tripulação não parecia desapontada em vê-lo ir embora. Ainda sinto no rosto o rubor da vergonha quando me recordo de como alguns tripulantes não lhe renderam uma despedida respeitosa.

Sinceramente, o meu primeiro pensamento enquanto assistia a esse espetáculo teve a ver comigo mesmo. Como eu poderia assegurar que a minha partida não fosse recebida com alívio quando eu finalmente deixasse o navio dali a dois anos? Assumia o comando de uma tripulação muito difícil, que não chegava exatamente a adorar o seu comandante.

A tripulação, pensei, provavelmente não gostaria de mim, não fosse por outra razão, simplesmente porque eu representava uma autoridade antiquada e talvez obsoleta. Tudo bem quanto a isso; ser querido não costuma estar entre as qualificações exigidas para o cargo de comandante de um navio da Marinha. O que é essencial é ser respeitado, digno de confiança e eficaz. Presenciando aquelas grosserias, compreendi que tinha um longo caminho pela frente antes de assumir realmente o comando do *Benfold*.

Com certeza, eu precisava oferecer um novo modelo de liderança, adaptado a uma nova era. E essa recepção constrangedora deixou claro para mim o quanto exatamente mudara o ambiente de trabalho nos meios militares, tanto como na vida civil.

Antigamente, os funcionários não se sentiam tão livres para dizer ao chefe o que pensavam dele. Depois de um grande desenvolvimento econômico, as pessoas não tinham mais medo de perder o emprego. Outros empregos esperavam por elas; até mesmo pessoas modestamente qualificadas mudavam de uma empresa para outra em busca de um cargo perfeito de que acreditavam ser plenamente merecedoras.

Independentemente de como a economia evoluísse, era um desafio para os líderes no século XXI a maneira como atrair e manter não só os trabalhadores, mas os melhores trabalhadores — e, mais importante ainda, como motivá-los de modo que colaborassem com paixão, energia e entusiasmo. No entanto, são muito poucas pessoas que aparecem com idéias, habilidades e iniciativa. O eterno desafio no mundo real é ajudar as pessoas menos talentosas a transcender as suas limitações.

Ponderando tudo isso no contexto do meu posto como o novo comandante do *Benfold*, li alguns estudos sobre demissões voluntárias, entrevistas conduzidas por militares para descobrir por que as pessoas se demitiam. Eu pensava que a baixa remuneração fosse o principal motivo das baixas, mas esse motivo, na verdade, era o quinto. O motivo principal era não ser tratado com respeito ou dignidade; o segundo, ser impedido de exercer alguma influência importante na organização; o terceiro, não lhes darem atenção; e quarto, não serem recompensados com mais responsabilidade. Nem é preciso dizer que essa leitura me abriu os olhos.

Um outro relatório, sobre o mundo civil, revelava um paralelo inesperado. De acordo com uma pesquisa recente, a baixa remuneração também era o motivo número cinco na lista de motivos pelos quais os funcionários de empresas privadas saltavam de uma empresa para outra. E os quatro motivos principais eram praticamente os mesmos que entre os militares. A conclusão inevitável era que, como líderes, estávamos todos cometendo os mesmos tipos de erro.

Uma vez que o comandante do navio não pode dar aumento de salário, muito menos opções de participação nos lucros, decidi que, durante os meus dois anos no comando do *Benfold,* eu procuraria me concentrar em resolver a questão dos quatro pontos de insatisfação entre os marinheiros. O meu princípio organizacional era simples: o segredo para ser um comandante bem-sucedido é ver o navio pelos olhos da tripulação. Só então seria possível descobrir o que estava realmente errado e, com isso, ajudar os marinheiros a ganhar mais responsabilidades para consertar o que houvesse de errado.

Um princípio simples, sim, mas do tipo que a Marinha aplaude na teoria e rejeita na prática. Os oficiais são encarregados de delegar autoridade e dar autonomia aos subordinados, mas na realidade espera-se que nunca pronunciem as palavras "Eu não sei". Por isso eles vivem num constante estado de alerta, cuidando de saber todos os detalhes que envolvem o grupo. Em resumo, o sistema recompensa a microgerência, ou seja, o controle ou atenção excessivos aos detalhes, por parte dos superiores — ao custo da autonomia dos que estão nas hierarquias inferiores. Isso é compreensível, considerando a antiga insistência entre os militares pela obediência em face do caos, o que é essencial em batalha. Antes de mais nada, os subordinados podem desconsiderar a responsabilidade, raciocinando que os seus gerentes são pagos para levar a culpa.

Um navio comandado por um microgerente com a sua hierarquia de submicrogerentes não é um terreno fértil para a iniciativa individual. E eu visava a 310 pessoas dispostas a tomar iniciativas — uma tripulação pronta, capaz e ansiosa por transformar o *Benfold* no navio mais qualificado da esquadra.

O que eu queria, de fato, era uma tripulação que guardasse ao menos uma mínima semelhança com aquele homem a cuja memória o navio era consagrado, Edward C. Benfold, um militar do serviço médico, que morreu em combate aos 21 anos de idade enquanto atendia a dois fuzileiros navais feridos num abrigo individual durante a Guerra da Coréia. Quando diversos soldados inimigos se aproximaram do abrigo, lançando granadas dentro dele, Benfold pegou as granadas e atirou-se sobre o inimigo, matando-os e a si mesmo no processo. Ele foi condecorado postumamente com a Medalha de Honra do Congresso. (Casualmente, ele era da pequena cidade de Audubon, Nova Jersey, que tinha dois outros detentores da Medalha de Honra também, o que a tornou a cidade com o maior índice *per capita* de Medalhas de Honra dos Estados Unidos.) Eu queria que a minha tripulação exibisse a coragem e a disposição de lutar de Edward Benfold.

Não tínhamos nenhum outro curso a seguir a não ser para o alto. Ainda assim, para o alto não é um rumo fácil. Desafia a gravidade, tanto cultural quanto física. Então, a história do *Benfold* dificilmente será um hino em louvor ao nosso sucesso absoluto em converter os incrédulos. O nosso foi um caminho duro de percorrer.

A princípio, o meu estilo de trabalho diferente do convencional inspirou medo e abalou o senso de autoridade com que o navio ficara marcado. Mas, em vez de inquirir constantemente os tripulantes com a suposição de que poriam tudo a perder, presumi que o seu desejo era o de fazer bem as coisas e ser os melhores em tudo o que fizessem. Eu queria que todo mundo se envolvesse na causa comum de produzir o melhor navio da Esquadra do Pacífico. E por que parar por ali? Vamos de uma vez ser o melhor navio de guerra de toda a Marinha, decidi.

Comecei com a idéia de que sempre existe uma maneira melhor de fazer as coisas, e que, ao contrário da tradição, as idéias da tripulação poderiam ser mais profundas até mesmo que as do comandante. Pensando assim, passamos vários meses analisando todos os processos da atividade do navio. Eu perguntava a cada um: "Você conhece uma maneira melhor de fazer o que já vem sendo feito?" Na maioria das vezes, a resposta era afirmativa, e muitas daquelas respostas foram como que revelações para mim.

O meu segundo pressuposto era que o segredo de fazer a mudança durar residia em implementar processos que as pessoas gostassem de executar. Com essa finalidade, concentrei os meus esforços de liderança em encorajar as pessoas não só a encontrar maneiras melhores de realizar as suas tarefas, como também de encontrar prazer em fazê-las. E algumas vezes — na verdade, uma porção de vezes — encorajei os meus marinheiros a descobrir o prazer apenas pelo prazer.

As medidas modestas têm vida longa. Na nossa base em San Diego, por exemplo, decidi parar de oferecer à tripulação as refeições convencionais da Marinha, e em vez disso investi o orçamento de alimentação do navio na compra de produtos civis de qualidade, que além de ser mais baratos eram mais saborosos. Mandei alguns dos nossos cozinheiros a escolas de culinária. O que eles aprenderam transformou o *Benfold* no lugar favorito de almoço entre todos os marinheiros de San Diego.

Além disso, os nossos vídeos de música, cortesia da tecnologia de camuflagem invisível, eram um sucesso. Todos ouvíramos falar dos bombardeiros invisíveis. Por isso construímos navios usando características de camuflagem invisível, para minimizar a nossa assinatura no radar, de modo que o inimigo não pudesse nos localizar com facilidade. Por meio de uma variedade de ângulos nos conveses e de materiais para a absorção do sinal de radar no casco, um feixe de radar inimigo era defletido ou absorvido. Em conseqüência disso, um contratorpedeiro de 8.600 toneladas, com mais de 150 metros de comprimento, não emitiria ao inimigo um sinal maior do que o de um barco de pesca. A superestrutura angulosa que a tecnologia de camuflagem invisível determinara para a parte traseira do *Benfold* assemelhava-se à tela de um antigo cinema de *drive-in*. Então, um dos meus mais habilidosos marinheiros criou um entretenimento ao ar livre projetando vídeos de música naquela superfície, a que as tripulações podiam assistir, por exemplo, nos períodos de reabastecimento do navio. Os espetáculos despertaram alguns comentários velados por toda a esquadra, mas ao mesmo tempo aliviaram o nosso desgaste numa tarefa entediante e algumas vezes perigosa, como é o reabastecimento no mar.

Prevendo passar 35 intermináveis dias de outono no sufocante Golfo Pérsico, compramos um barco salva-vidas cheio de morangas, um fruto que não se encontra no Oriente Médio. O nosso oficial rancheiro tomara essa iniciativa, e eu pensei que seria microgerência da minha parte pedir-lhe uma explicação. Depois de consumirmos uma dose excessiva de tortas de abóbora, distribuímos parte das abóboras não utilizadas para uma competição de lanternas de cascas de abóbora recortadas.

As inovações nem sempre foram todas tão divertidas. Durante o trajeto de San Diego ao Golfo Pérsico, por exemplo, a nossa primeira parada foi em Honolulu. O *Benfold* acompanhava dois outros navios, o USS *Gary* e o USS *Harry W. Hill*, ambos comandados por oficiais mais antigos do que eu. O comandante operacional dos três navios era um comodoro a bordo do *Hill*.

Durante a viagem de sete dias, realizamos exercícios e manobras. No sexto dia, era para detectarmos um submarino americano que se fazia passar por inimigo e evitá-lo. A tarefa do submarino, por sua vez, era encontrar e afundar o navio que levava o comodoro a bordo. O comandante do *Gary*, embora fosse o responsável por esse exercício em especial, por causa da sua posição hierárquica superior, três dias antes do exercício ainda não havia anunciado nenhum plano e eu farejei uma oportunidade. No jargão empresarial, poderíamos dizer que seria uma boa oportunidade para a tripulação do *Benfold* fazer disparar o valor das ações do navio no mercado.

Convoquei o primeiro-sargento operador de sonar à câmara*, juntamente com os oficiais pertinentes para servir de testemunhas, e determinei-lhes a tarefa de apresentar um plano inovador. Disse-lhes para se colocarem no lugar do comandante do submarino e descobrir o que ele faria, e então desenvolvessem uma estratégia para despistá-lo.

Para surpresa de todos — incluindo a mim mesmo — eles criaram o plano mais criativo que eu jamais havia visto. Nós o apresentamos, mas tanto o comodoro quanto o comandante do *Gary* o recusaram em favor de um plano de última hora baseado nas mesmas táticas que a Marinha usava desde a Segunda Guerra Mundial. Justo num momento em que, mais do que nunca, devíamos parar de nos preparar para batalhas do passado e nos preparar para as novas.

Quando soube da decisão deles, fiquei possesso. Procurando ser o mais convincente possível, quase de maneira desrespeitosa, discuti com eles no rádio de comunicação entre os navios. O rádio é um circuito seguro, mas também uma linha particular que qualquer marinheiro pode escutar, bastando para isso apertar o botão direito do comunicador, o que todos os meus marinheiros fizeram. Eles me ouviram questionar os meus chefes para experimentar algo novo e ousado. Fui informado, em termos não muito convincentes, de que usaríamos o plano do *Gary*. Requisitei uma resposta urgente pelo rádio, apelando da decisão. A tradição mais as práticas operacionais antiquadas acabaram vencendo a parada.

Em conseqüência disso, o submarino afundou nós três — sem muito esforço por parte da sua tripulação. Imagine o nosso desalento. Mas os meus marinheiros souberam que eu saíra à luta por eles. Eu não podia deixar por menos: eles tinham feito o mesmo por mim criando aquelas soluções inovadoras.

No dia seguinte, estávamos escalados para entrar em Pearl Harbor. Os navios da Marinha tocavam a terra e partiam para o mar em data e hora cor-

---

* Câmara é o compartimento do navio destinado à habitação do seu comandante. (N.R.)

respondente ao posto dos seus comandantes, outro monumento arcaico à tradição. Eu era o comandante mais moderno, portanto o *Benfold* foi escalado para chegar por último, às 17h00 horas daquela tarde, e ser o primeiro a partir, às 07h00 da manhã seguinte, no rumo para Cingapura.

Uma vez que o exercício com o submarino (leia-se, fiasco) acabara no começo da manhã, eu não via motivo para ficar derivando no mar à espera de que os outros navios entrassem antes de mim em Pearl, quando os meus marinheiros poderiam aproveitar um dia inteiro de folga em terra, uma vez que partiríamos de manhã cedo. Com a minha tripulação de novo ouvindo na linha particular, conversei com os outros comandantes pelo rádio e perguntei se dariam permissão para eu entrar antes deles. Nada disso, disseram eles, siga os regulamentos: não crie problemas. Foi exatamente o que eu fiz quando liguei para o comodoro, apesar das objeções deles, e pedi para entrar primeiro. O tom de voz do comodoro não foi nada amigável; ele também escutara a minha conversa com os outros comandantes.

— Me dê um bom motivo — sugeriu o comodoro.

— Vamos economizar o dinheiro dos contribuintes se não ficarmos aqui fora parados, desperdiçando combustível. Além disso, temos uma peça do equipamento quebrada e quero consertá-la. E, finalmente, gostaria que a minha tripulação aproveitasse o dia na praia. Do meu ponto de vista, são três bons motivos.

O comodoro limpou a garganta. Então, para a surpresa de todos, concluiu:

— Permissão concedida.

Era possível ouvir a risada dos meus marinheiros por todo o navio. Ligamos os quatro motores e entramos com a maior esteira pela boca do porto, em velocidade máxima, pouco preocupados em economizar combustível! Conseguimos consertar o nosso equipamento e lá pelo meio-dia os meus marinheiros já se encaminhavam para Waikiki e a curtição foi geral. Então foi aí que eles começaram a dizer: "Essa não é a Marinha dos nossos pais".

E foi aí que eu soube que tinha assumido o comando — não apenas nominalmente, mas de verdade. Um marinheiro me disse que a tripulação pensava que eu me preocupava mais com o desempenho e com eles do que com a minha próxima promoção. Essa é outra coisa que você precisa aprender sobre o seu pessoal: eles são mais sensíveis do que você imagina, e sempre sabem qual é o resultado do jogo — mesmo quando você não quer que saibam.

Uma porção de marinheiros com que trabalhei vinham do degrau mais baixo da escada socioeconômica. Haviam sido criados em famílias desestruturadas em bairros problemáticos, onde o vício e os maus-tratos eram a regra. Freqüentaram escolas de baixo nível e tinham pouco, se é que tinham, do que eu considerava como um direito natural quando criança: estabilidade, apoio, ajuda. Ainda assim, a despeito de toda adversidade e do fato de que nunca tiveram nenhum apoio na vida, eram alguns dos melhores cidadãos que jamais encontrei. Ao contrário deles, eu não precisava procurar muito para encontrar os meus heróis: eu tinha alguns na minha própria família. E quanto mais envelhecia, mais eu gostava deles, e até mais os reverenciava.

Os meus avós paternos vieram da Macedônia para os Estados Unidos em 1906 e estabeleceram-se em Mount Union, na Pensilvânia. O meu pai, um dentre onze filhos, serviu na Segunda Guerra Mundial, assim como três irmãos dele. Nas primeiras horas da Batalha do Bulge, o meu tio Butch levou sete balas no capacete, caiu ao chão, dado como morto, e permaneceu ali estirado por três dias enquanto a batalha continuava. Quando os soldados voltaram para recolher os corpos, perceberam que ainda estava respirando. Ele se recuperou, e morreu há apenas um ano, aos 88 anos de idade.

O meu tio Kero, um pára-quedista do Exército, saltou por trás das linhas inimigas na França ocupada numa missão bem-sucedida para coletar informações.

O meu pai estava no Exército, designado para a Marinha Mercante como operador de rádio. No Quartel da Marinha em Brooklyn, ele foi informado de que deveria escolher entre dois navios. O primeiro era novo em folha, enquanto o segundo, uma velharia. Talvez porque simpatizasse sempre com os oprimidos, o meu pai escolheu o segundo. Os arquivos de registros do Exército eram péssimos, e ele foi relacionado como se estivesse no navio novo, que em uma das suas primeiras viagens foi posto a pique por um submarino alemão no Atlântico Norte. O Departamento da Guerra até chegou a notificar o meu avô de que o meu pai fora morto em combate. O Exército interrompeu o pagamento do soldo dele. Você pode imaginar a emoção que foi quando o meu pai mandou uma carta para casa e o pai dele soube que ele estava vivo. Provar para o Exército que ele continuava vivo e exigir que retomassem o pagamento do soldo evocaram ainda mais emoções.

Desde que eu era menino, o meu pai contava as suas histórias da guerra nos almoços de domingo. Nós escutamos essas histórias tantas vezes que éramos capazes de contar o final de todas só de ouvir as primeiras palavras. Ainda assim, elas exerceram uma influência profunda sobre nós — e provavelmente maior do que o meu pai imaginava.

A minha mãe também contribuiu para o esforço de guerra. Altoona, uma estação ferroviária importante na época, distribuiu milhões de toneladas de suprimentos de guerra. A minha mãe, que depois se tornou professora, trabalhava em turnos nas estações de desvio que mantinham os trens em movimento.

O meu pai, os meus tios e a minha mãe sempre foram modelos de comportamento de grande influência sobre mim. Assim como o âncora do noticiário do NBC Tom Brokaw, considero a geração deles como a maior de todas, e admiro-os pelos imensos sacrifícios praticados. No meu pronunciamento à tripulação, eu disse que faria o máximo possível todos os dias para me sentir no lugar do meu pai, e acho que ainda estou.

Os meus pais nunca conseguiram ganhar muito dinheiro (o meu pai era assistente social e a minha mãe dava aulas no ginásio), mas isso não os impediu de fazer com que eu tivesse uma infância privilegiada. Nós nunca soubemos que éramos pobres. Eles nos tratavam com disciplina, incentivo e muito amor. Some-se a isso a estabilidade, simbolizada por um casamento que atualmente já dura 54 anos na mesma casa — a casa onde a minha mãe nasceu oitenta anos atrás. Acredito que todos nós que tivemos a sorte de provir de uma família estável temos a responsabilidade de tentar entender as experiências daqueles que cresceram sem apoio, seguranças ou modelos de comportamento positivo a serem imitados.

Eu era o sexto de sete filhos. Os meus pais realmente se esforçaram muito para mandar os cinco primeiros para a faculdade, então quando surgiu a oportunidade para eu estudar "de graça" na Escola Naval, não hesitei nem um minuto. Ser um atleta no colégio me ajudou a ser admitido. Fui recrutado para jogar futebol americano. Acabei me tornando, na melhor das hipóteses, um jogador medíocre, portanto sou grato por ter conseguido um trabalho regular quando me formei.

O meu diploma foi em ciências políticas, mas 80 por cento dos cursos da Escola Naval eram sobre engenharia, química, física, cálculo e outros assuntos técnicos, que eram torturantes para mim. Entre isso e a franca competitividade do lugar, eu não fui um estudante de muito destaque. Tive sorte de me formar no antepenúltimo lugar da classe.

Para um oficial da Marinha, a sua primeira comissão depende da posição conquistada em sua classe na Escola, e se você optou por ser um oficial da Armada, como eu, descobre que os navios mais novos e equipados vão para os primeiros da classe. A minha primeira indicação foi para uma lata velha enferrujada, a fragata USS *Albert David*. Estranhamente, aquilo acabou se revelando uma vantagem. Nos navios mais novos e rápidos, os campeões agressivos da Escola continuavam a competir entre si em busca de tempo de instrução e oportunidades de aprender. No *Albert David*, competindo com oficiais de classificação mais baixa, eu ainda precisava suar a camisa, mas era mais fácil de me sair bem. Obtive ótimas oportunidades logo no estágio inicial da minha carreira, que provavelmente não teria tido se eu tivesse me saído melhor na Escola.

Mas os oficiais aos quais me reportava também eram considerados merecedores do *Albert David*, e foi o estilo de liderança deles que aprendi. Infelizmente, era o antiquado sistema de comando e controle; eles gritavam ordens e microgerenciavam tudo. Comecei como oficial de comunicações, mas cheguei a manobrar o navio muitas vezes, porque muitos dos oficiais tinham receio de tentar. O comandante era abusivo. Gritava tanto conosco que as veias do pescoço e da testa dele inchavam.

A certa altura, o comandante destituiu o oficial de guerra anti-submarino e me mandou substituí-lo, sem que eu tivesse nenhuma instrução sobre o assunto. Fui capaz de fazer algumas boas coisas estudando a minha tarefa e dizendo à minha divisão incompetente sobre o que fazer. Estava tendo resultados quase bons e subindo na escada da carreira, mas ainda era prejudicado pelo estilo de gerência que vigia cada movimento dos subordinados.

Comecei a ter uma visão mais ampla no meu posto seguinte, como ajudante-de-ordens do Almirante Hugh Webster, em Subic Bay, nas Filipinas, para onde fui indicado por dezoito meses. Eu o acompanhava a todas as reuniões e lia toda a correspondência confidencial dele. Até mesmo escrevi a maioria das cartas dele por ele e aprendi como atua um almirante de duas estrelas da Marinha americana. Aquilo me deu uma visão de cima para baixo da organização e de como as pessoas interagem na cadeia de comando superior. Viajamos extensamente pela Ásia, planejamos a primeira comissão americana a Qingdao, na China, desde a Revolução chinesa, e monitoramos movimentos navais soviéticos de um navio ao largo de Vladivostok. Foi uma ótima experiência de aprendizado.

Na ocasião, eu estava com 25 anos de idade e a maioria dos oficiais dessa idade não tem a oportunidade de ver como a organização funciona no nível superior. Foi um bom treinamento, que os empresários poderiam proporcionar aos seus novos funcionários talentosos, tornando-os assistentes-executivos do pessoal graduado.

A minha indicação seguinte foi para o contratorpedeiro USS *Harry W. Hill* como oficial de sistemas de combate, o que me fez um chefe de departamento e também o oficial de ação tática, encarregado de coordenar o centro de informações de combate. Aquele era um bom navio, com um ótimo comandante, mas o imediato era o oficial com o máximo de gestão do tipo comando e controle que conheci em todos os meios militares. Três semanas depois de eu ter chegado ao navio, em 1987, ele me chamou ao seu camarote quando terminei o primeiro exercício e me disse francamente que eu era o pior oficial de ação tática que ele havia visto na vida. Pensei que a avaliação dele estivesse certa, então considerei aquilo como uma advertência de que precisava melhorar. Não foi fácil, mas quando deixei o navio, dezoito meses depois, ele me disse que eu era o melhor oficial de ação tática que ele jamais havia visto.

O comandante e o imediato poderiam ter-me demitido facilmente se quisessem, mas eu estava ansioso para aprender. Eles perceberam que eu tinha a atitude certa e capacidade de liderança e então me ofereceram o treinamento de que eu precisava sobre conhecimentos técnicos. Isso foi praticamente o começo, mas eles me deram oportunidades e eu me beneficiei disso. Aquilo me ensinou a não desistir das pessoas até ter esgotado todas as oportunidades para instruí-las e ajudá-las a crescer.

Do *Harry W. Hill* fui para o USS *England*, um cruzador armado com mísseis teleguiados, no qual servi de 1989 a 1991. De novo, fui o oficial de sistemas de combate, mas com um sistema muito mais complexo; depois da supervisão de departamento de oitenta, agora eu gerenciava 120 pessoas. Tivemos um tenso turno de serviço no Golfo Pérsico durante a Operação Escudo do Deserto, que vou descrever em maiores detalhes mais adiante neste livro.

Quando saí do *England*, voltei à Diretoria do Pessoal da Marinha para trabalhar como oficial de avaliação. Fazia a avaliação dos oficiais de todos os navios da Esquadra do Atlântico. Era uma posição de estado-maior, não de liderança; eu era meramente um oficial de ação, fazendo o trabalho por conta própria, e me dei bem nisso. Os navios eram os meus clientes e eu me tornei um mestre nesse processo. Era responsável pela Esquadra do Atlântico, mas os comandantes mais antigos da Esquadra do Pacífico me telefonavam e diziam que haviam ouvido falar que, se quisesse obter de fato algo da Diretoria, deviam telefonar para o Mike Abrashoff. Então, eu continuava na escada ascendente, fazendo ótimas coisas; mas também ainda dependia da minha capacidade de conseguir fazer as coisas e microgerenciar, não das minhas habilidades de liderança.

Eu me saí tão bem que fui indicado como imediato no cruzador de mísseis teleguiados USS *Shiloh*, que era então o navio mais moderno da Marinha. O *Shiloh* era um ótimo navio, e nele aprendi muito sobre liderança; foi lá que compreendi que queria desesperadamente me tornar um tipo diferente de líder. Mas ainda não sabia como realizar isso.

Em 1994, recebi a maior oportunidade da minha vida quando fui escolhido para ser o assistente militar do Secretário de Defesa William Perry. Cada um dos quatro serviços fornecia três indicados, então eu estava competindo contra onze pessoas pelo cargo. O almirante da Diretoria de Pessoal da Marinha, que indicou o meu nome, me disse para não ter grandes esperanças. Eu não era uma escolha do nível superior da Marinha e, se conseguisse uma entrevista, ele esperava que eu não criasse embaraços para a nossa força. Imagine que incentivo de confiança.

De algum modo, consegui o cargo — talvez porque as minhas viagens com o Almirante Webster tivessem me ensinado a ser um integrante de equipe e ter confiança no trato com oficiais superiores. No entanto, embora tivesse sido escolhido para o trabalho, estava entrando para uma equipe funcional altamente desenvolvida e teria de provar para a equipe que era confiável — de que a minha principal lealdade era com o Gabinete do Secretário de Defesa e não com o meu serviço de origem, a Marinha.

Existem muitos cargos altamente decisivos dentro e ao redor do governo que exigem oficiais e praças para serem "emprestados" do seu serviço de origem (Exército, Força Aérea, Marinha ou Fuzileiros Navais) para outra organização, como a Casa Branca, o Estado-Maior Conjunto das Forças Armadas ou o Gabinete da Secretaria de Defesa. Os gabinetes que recebem o pessoal emprestado são os que fazem a política do aparato de segurança nacional, que algumas vezes precisa fazer política contrária aos interesses particulares de cada serviço. Nesse caso, o serviço de origem exerce pressão sobre esses oficiais emprestados para manter o serviço de origem informado do que está sendo discutido, de modo que os almirantes generais e brigadeiros possam se mobilizar para derrotar as mudanças na política de segurança.

É uma prática insidiosa, que causa desconfiança no Pentágono. O Secretário de Defesa, Donald Rumsfeld, foi citado na revista *Time* como tendo afirmado: "Meu senhor, neste lugar, tudo o que você precisa fazer é pensar em alguma coisa, e isso acaba vazando. É como se houvesse microfones espionando o seu cérebro".

Como resultado, o pessoal recém-indicado nem sempre é digno de confiança a princípio. Eu senti, certo ou errado, que inicialmente precisava provar a minha confiabilidade, não ao dr. Perry, mas sim ao resto da equipe. Ajudou que o falecido Comandante de Operações Navais, Almirante Mike Boorda, tenha me puxado de lado pouco depois de eu conseguir o cargo e dito que esperava que eu fosse totalmente leal ao Secretário de Defesa e, se algum outro almirante me pressionasse para trair essa confiança, eu poderia procurá-lo diretamente, ao Almirante Boorda, e ele se encarregaria do problema.

Passei o tempo observando, ouvindo e aprendendo como operava o Pentágono. Pouco a pouco, as pessoas vieram a me conhecer e começaram a me passar os trabalhos complicados que ninguém mais queria, mas que eu ficava satisfeito em fazer. Na verdade, eu costumava brincar que havia três tipos de missões no gabinete: as de sucesso garantido (que ficavam com os generais de duas estrelas), as de sucesso potencial e as de fracasso garantido. Adivinhe com quais eu ficava? O lado bom de tudo isso foi que tive sucesso em cerca de 75 por cento dessas tarefas consideradas perdidas. O lado ruim foi que algumas vezes era preciso jogar pesado para conseguir um bom resultado.

Uma das minhas principais tarefas era cuidar da agenda do Secretário Perry. A exemplo de todos os grandes líderes, ele era totalmente disciplinado. Depois que aprovava a agenda que propúnhamos, ele esperava segui-la com a precisão de minutos. As reuniões começavam no horário e terminavam no horário, com o assunto resolvido; nenhuma reunião era gasta falando-se sobre a necessidade de mais reuniões.

Os oficiais mais graduados na ocasião geralmente tentavam ampliar o tempo que tinham face a face com Perry, imaginando que quanto mais conversassem com ele, mais poderiam alavancar a própria carreira. O que não compreendiam era que ele percebia na hora as suas táticas furtivas. O que também não compreendiam era que alguém precisava ser o porteiro e que eu, que tinha a chave, podia tornar a vida deles muito difícil.

Por exemplo, chegamos no horário a Riyadh, na Arábia Saudita, com horário na agenda para nos reunirmos com os familiares de cinco funcionários do Departamento de Defesa que tinham sido mortos na semana anterior quando um carro-bomba explodira na frente do escritório deles. Antes dessa reunião, deveríamos ser informados da situação por um brigadeiro de duas estrelas, da Força Aérea. Embora a reunião de informações com o brigadeiro fosse importante, Perry já tinha uma visão plena dos problemas e essa reunião era menos decisiva do que apresentar as condolências às famílias.

A reunião de tomada de informações com o brigadeiro também promoveria o brigadeiro. Quando ele não mostrou sinais de terminar, eu interrompi, anunciando que a reunião de informações estava encerrada, e saímos para encontrar as famílias. O Secretário Perry saiu. O brigadeiro me pegou pelo braço e ralhou comigo, mas eu reagi com ele de uma maneira que nunca havia feito com um oficial mais antigo antes. Algumas vezes, são necessárias medidas desesperadas quando você está lidando com uma burocracia esclerótica.

Aprendi muito sobre política institucional naquele trabalho. Descobri como economizar o dinheiro dos contribuintes, o que é possível por uma revisão nas nossas políticas de compras. Foi preciso apenas a minha vontade de ignorar algumas diretrizes antiquadas da Marinha, especialmente aquelas que desperdiçavam o dinheiro dos impostos, porque precisavam ser atualizadas.

No entanto, o meu contato com a burocracia do Pentágono concentrou a minha atenção em algo muito maior: a maré demissionária de bons marinheiros que deixavam a Marinha. Quando conseguisse um navio, decidi, iria comandá-lo de maneira a reverter essa tendência.

Agora, com o *Benfold*, era pegar ou largar.

Embora eu trouxesse comigo uma grande quantidade de estilos de liderança negativos que aprendera no início da carreira, já tinha decidido que, se tivesse de me colocar no lugar do meu pai, era chegado o momento de deixar a minha posição confortável e definir o meu próprio caminho a seguir. Por sorte, eu também tinha modelos positivos a imitar fora da família, notavelmente o Secretário Perry. Era o momento de questionar tudo o que tinha odiado na Marinha enquanto subia na carreira e consertar tudo a meu modo. Embora a meta fosse presunçosa, eu disse a mim mesmo que era importante tentar fazer isso. Queria uma vida da qual pudesse me orgulhar. Queria ter uma influência positiva na vida dos mais jovens. Queria criar a melhor organização que estivesse ao meu alcance fazer. E não queria desperdiçar essa oportunidade de liderança. Tinha aprendido vezes seguidas que, depois que você desperdiça uma oportunidade, nunca mais a consegue de volta. Quando eu estivesse com 90 anos de idade e no conforto da minha aposentadoria, não queria olhar para trás na minha vida e dizer: "Se ao menos eu tivesse..."

Senti-me terrivelmente inseguro, receoso e cheio de dúvidas a princípio. Nunca tinha estado nessa posição antes, e me perguntava se estava fazendo a coisa certa ou não. Mas precisava dar aquele salto, e sabia que não estava fazendo isso por mim. Estava fazendo pelo meu pessoal. Queria que eles tivessem uma ótima experiência e, acima de tudo, nunca quis escrever aos seus pais para dizer que o filho ou filha deles não iria voltar para casa por causa de algo que eu tivesse feito ou deixado de fazer. E no fim, eu estava fazendo aquilo pela Marinha, a que ainda amo muito, embora ela não tenha ainda compreendido que não era mais "a Marinha dos nossos pais".

Não vejo como desrespeito dizer isso. Acima de tudo, a Marinha dos nossos pais foi uma força extraordinária, que venceu as maiores batalhas marítimas da história. Mas a Marinha atual é um organismo diferente. O *Benfold*, por exemplo, é uma máquina muito mais intrincada do que os navios de até vinte anos atrás. Ele tem muito mais poder de fogo, com mais precisão, do que dez navios combinados tinham naqueles tempos. Incrivelmente complexo, o navio emite fluxos de informações sem precedentes para serem digeridas, processadas e consideradas para a ação, algumas vezes com apenas segundos de prazo para isso. Como um negócio, nenhuma pessoa pode permanecer no topo dele absolutamente. É por isso que você precisa obter mais do seu pessoal e desafiá-lo a entrar em ação. O que é preciso agora é uma nova maneira convincente de inspirar as pessoas a dar o melhor de si enquanto as coisas estão acontecendo à velocidade da luz.

Nós conseguimos isso no *Benfold*. Não estou apenas me gabando: os números provam isso.

No ano fiscal de 1998, operamos com 75 por cento do nosso orçamento, não porque conscientemente tentássemos economizar dinheiro, mas porque os meus marinheiros tinham liberdade de questionar o pensamento convencional e imaginar maneiras melhores de fazer o trabalho deles. Por exemplo, reduzimos as falhas de equipamento "degradado em missão" de 75 em 1997 para 24 em 1998. Em conseqüência disso, devolvemos 600.000 dólares do orçamento de manutenção de 2,4 milhões do navio e 800.000 dólares dos seus 3 milhões do orçamento para reparos. É claro que a nossa recompensa por isso foi ter um orçamento reduzido em 600.000 e 800.000 dólares, no ano seguinte. Então economizamos outros 10 por cento desse índice reduzido e retornamos devidamente também essa quantia.

Durante esse período, os "indicadores de prontidão" do *Benfold* chegaram às alturas. Graças aos cem dias que servimos no Golfo Pérsico durante a crise do Iraque em 1997, éramos o navio com que mais se podia contar da Esquadra do Golfo e recebemos as missões mais duras. Obtivemos a maior pontuação de tiro da Esquadra do Pacífico. Estabelecemos um novo recorde para o ciclo de treinamento pré-manobras (preparação para a nossa próxima missão), que normalmente requer 52 dias — 22 no porto e 30 no mar. Fizemos isso em 19 dias — cinco no porto e quatro no mar — e recebemos nós mesmos 33 preciosos dias de folga em terra.

Quando cheguei a bordo do *Benfold*, a Marinha como um todo tinha uma taxa de retenção péssima. Menos da metade de todos os marinheiros se realistava para um segundo turno de serviço; poucos eram tentados pela oportunidade de se reformar com generosos benefícios depois de apenas vinte anos de serviço. O *Benfold* em si tinha uma taxa de retenção lamentável — 28 por cento. Em resumo, o navio estava desperdiçando praticamente três em cada quatro dos seus marinheiros mais jovens, o pessoal de que a Marinha mais precisa se pretende desenvolver uma massa crítica de oficiais subalternos confiáveis e especialistas a longo prazo.

De que maneira o nosso estilo afetou a taxa de retenção do *Benfold*? Até mesmo eu considero isso impressionante, mas os números não mentem. A taxa de retenção para as duas categorias mais essenciais saltou de 28 por cento para 100 por cento, e permaneceu estável. Todos os marinheiros de carreira no *Benfold* se realistaram para um período adicional. Se tivéssemos de recolocar pessoal no lugar deles, teríamos gasto cerca de 100.000 dólares pelo treinamento de cada novo recruta. E as economias consideráveis em dólares são apenas o começo. O benefício supremo — a retenção de funcionários altamente capacitados — é incalculável.

Quando assumi o comando do *Benfold*, compreendi que ninguém, incluindo a mim mesmo, é capaz de tomar todas as decisões. Eu precisaria treinar o meu pessoal a pensar e fazer julgamentos por conta própria. Dar autonomia significa definir os parâmetros pelos quais as pessoas têm permissão para operar, e então deixá-las à vontade.

Mas até que ponto deixar à vontade? Quais eram os limites?

Estabeleci os meus próprios limites. Sempre que as conseqüências de uma decisão tinham o potencial de matar ou ferir alguém, desperdiçar o dinheiro dos contribuintes ou danificar o navio, eu precisava ser consultado. Além dessas contingências, a tripulação estava autorizada a tomar as próprias decisões. Mesmo se as decisões fossem erradas, eu ficaria do lado dos meus tripulantes. Com sorte, eles aprenderiam com os próprios erros. E quanto mais responsabilidade recebiam, mais eles aprendiam.

Ao trocar as pompas pelo desempenho, criamos experiências de aprendizado em todos os turnos. Procuramos nos certificar de que cada marinheiro tivesse tempo e estivesse motivado para dominar o seu trabalho; fazer, apenas, não era o suficiente.

Como resultado, tivemos uma taxa de promoção que foi além do máximo. Na Marinha, as promoções dependem do quanto você se sai bem nos testes padronizados. Todo mundo que está pronto para uma promoção faz esses testes ao mesmo tempo e aqueles que obtêm as maiores pontuações são promovidos. Quando assumi o comando, em 1997, a minha tripulação estava progredindo abaixo da média da Marinha. Em 1998, promovi 86 marinheiros, um grande salto na auto-estima para cerca de um terço da tripulação do navio. A essa altura, os marinheiros do *Benfold* estavam sendo promovidos a uma taxa duas vezes acima da média da Marinha.

O fato é que o novo ambiente a bordo do *Benfold* criou uma equipe de colaboradores que estavam florescendo dentro de um espírito de disciplina descontraída, com criatividade, senso de humor e orgulho. A Marinha percebeu: apenas sete meses depois que assumi o comando, o *Benfold* obteve o Troféu Spokane, um prêmio estabelecido em 1908 pelo presidente Theodore Roosevelt, um grande entusiasta da Marinha. Ele é atribuído todo ano ao navio que apresenta a maior prontidão para o combate na Esquadra do Pacífico.

Pouco tempo depois de o prêmio ter sido anunciado, o meu chefe, o comodoro, enviou-me um e-mail apresentando as congratulações. "Mas não fique muito convencido", ele advertiu. O navio dele tinha não só vencido o prêmio equivalente na Esquadra do Atlântico, mas também conquistara a maior pontuação de todos os tempos em artilharia, 103,6 (dentro de um limite de 105). "Até que você consiga bater a minha pontuação em artilharia", escreveu ele, "não quero ouvir nenhuma bravata do USS *Benfold*."

Duas semanas depois, fomos escalados para participar da competição com a nossa artilharia. Eu não disse uma palavra à minha equipe; apenas retransmiti aquele e-mail para o pessoal da artilharia. Eles conseguiram 104,4 pontos dentro dos possíveis 105, e depois deixei que redigissem uma resposta ao comodoro. Nem sequer a li, mas tenho a impressão de que eles se vangloriaram um bocado.

O *Benfold* continuou batendo todos os índices de avaliação na Esquadra do Pacífico, e muitas vezes a tripulação quebrou os recordes existentes. Diretamente, não tive nada a ver com esses triunfos. Conforme eu percebia, o meu trabalho era criar o clima que permitisse que as pessoas liberassem o seu potencial. Dado o ambiente certo, há poucos limites que as pessoas não conseguem superar.

CAPÍTULO DOIS

LIDERE PELO EXEMPLO

Embora a imagem de um comandante de navio evoque galões dourados e ordens distribuídas com firmeza, nenhuma dessas coisas faz um líder. O líder jamais consegue o que quer ordenando simplesmente que aquilo seja feito. A liderança de verdade deve ser conquistada pelo exemplo, não por preceitos.

Goste você ou não, o seu pessoal segue o seu exemplo. Os seus subordinados observam você em busca de sinais, e você exerce uma enorme influência sobre eles. Se virem que você não implementa uma política ou discorda dela, podem pensar que têm luz verde para fazer o mesmo. Se vêem você omitindo a verdade, podem achar que estão livres para mentir também. Da mesma maneira, se vêem você questionar práticas de trabalho obsoletas, vão seguir no mesmo passo. Esse procedimento torna-se entranhado na cultura. Sempre que um oficial propunha um plano, eu perguntava:

— Por que precisamos fazer isso dessa maneira? Não existe um jeito melhor?

Então eles sempre pesquisavam métodos melhores antes de me procurar. Os sinais que você passa são importantes. Você instrui a sua tripulação pelo modo como age a cada decisão que toma e em cada ação que pratica.

> **É ENGRAÇADO COMO SEMPRE O PROBLEMA ESTÁ EM VOCÊ.**

Toda vez que eu não conseguia obter os resultados que queria, engolia o mau humor e me voltava para dentro de mim mesmo para ver se eu fazia parte do problema. Fazia a mim mesmo três perguntas: Articulei as metas com clareza? Dei tempo e recursos suficientes ao pessoal para realizar a tarefa? Dei-lhe instrução suficiente? Descobria que em 90 por cento dos casos, no mínimo, eu era tão parte do problema quanto o meu pessoal.

Aprendi essa lição pela primeira vez nas Filipinas, quando era o ajudante-de-ordens do Almirante Webster. Cada almirante tem a sua própria "lancha", um iate bonito, que pode ser usado para entretenimento ou apenas para cruzeiro. Webster tinha um lindo barco e, no papel de ajudante-de-ordens dele, eu era encarregado do iate, mas não podia contar com uma equipe de manutenção.

Um dia, logo depois de chegarmos a Subic Bay, ele decidiu sair com o barco. Eu convoquei um par de marinheiros de um dos navios no porto para prepará-lo e o almirante e eu fizemos um viagem de cruzeiro até uma das ilhas ao largo da baía. Mas, no caminho do volta, o barco apresentou um defeito de funcionamento. Ficamos à deriva na baía por cerca de uma hora. Então o nosso rádio apagou. O almirante disse: "Arrie o pavilhão". Quando um almirante se encontra em qualquer tipo de embarcação ou navio, o seu pavilhão é hasteado, e o Almirante Webster não queria que alguém soubesse que ele estava numa situação daquelas, precisando de ajuda. Você mal pode imaginar como eu me senti humilhado. Finalmente, uma barcaça de lixo apareceu e acenei para ela. O lixeiro nos lançou um cabo e nos rebocou de volta para o porto, enquanto o almirante bufava dentro da cabina.

Nunca vi o almirante tão aborrecido como naquele dia e eu realmente senti a pressão. Apresentei inúmeras desculpas — não tinha a tripulação nem as ferramentas para cuidar da manutenção como devia. Mas, no final das contas, era eu o responsável. Devia estar mais bem preparado.

Desnecessário dizer que pelo resto do meu tempo de serviço empenhei os maiores esforços na manutenção do barco, e nunca mais tivemos problemas.

Repetidas vezes aprendi e reaprendi ao longo dos anos essa lição de estar preparado, e parecia não haver fim à diversidade de maneiras de cometer erros. A minha lembrança mais viva remonta a 1994, quando eu era o imediato do *Shiloh*. Um marinheiro havia dormido enquanto estava de vigia. Essa é uma falta extremamente rara, porque as pessoas podem até morrer se você não estiver alerta. O jovem marinheiro foi incluído no livro de contravenções (pense nisso como ser acusado de um crime) e eu tive de decidir se devia enviar o caso ao juiz (o comandante) ou desconsiderar a acusação.

Bem, esse era um caso em que só havia as opções sim e não — se você está dormindo no seu turno de vigia, então é culpado. Não havia necessidade de se incomodar com os fatos. Então eu mandei o marinheiro para o comandante, para receber a punição, sem nenhuma investigação adicional.

Para a minha imensa surpresa, o comandante perguntou ao marinheiro por que ele tinha dormido em serviço. O marinheiro disse que estivera acordado toda a noite limpando a sujeira no local de trabalho. Por que ele precisara permanecer acordado para fazer a limpeza? Porque o sargento supervisor lhe disse que aquilo precisava ser feito até as 8 da manhã.

— Sargento, por que não deu mais tempo a ele para fazer o serviço?

— Porque o oficial encarregado da divisão me disse que precisava ser feito.

Imediatamente vi aonde isso levaria e comecei a suar. O comandante virou-se para o encarregado da divisão, que se virou para o chefe do departamento (nesse momento, eu me sentia dentro de uma poça de suor), que se voltou para mim e disse:

— O imediato me disse para ter o serviço feito até as 8 da manhã.

Como é que eu poderia saber que eles estariam tão desprovidos de mão-de-obra que precisariam deixar alguém acordado a noite inteira para terminar o serviço? Mas, na verdade, eu deveria saber, ou pelo menos ser acessível o suficiente aos oficiais para que se sentissem à vontade para me explicar por que era uma ordem difícil de ser cumprida. Eu não tinha todos os fatos, não compreendi que não havia recursos suficientes para concluir a tarefa a tempo e dera a minha permissão. O comandante desconsiderou o caso e eu me senti um completo idiota desleixado. Nunca mais, eu me prometi, darei uma ordem sem articular claramente o objetivo, oferecendo tempo e recursos para que ela seja cumprida, e assegurando que a minha tripulação tenha a instrução adequada para fazê-la corretamente.

No entanto, é claro, haveria uma próxima vez. Você nunca sabe todas as coisas que deveria saber.

NUNCA SE ESQUEÇA DA SUA INFLUÊNCIA SOBRE O PESSOAL.

Os líderes precisam entender que influenciam as pessoas profundamente, que o seu otimismo e pessimismo são igualmente contagiosos, que eles estabelecem diretamente o tom e o espírito de todos ao redor.

Quantas vezes você chegou à sala do seu chefe e se sentiu diminuído? Por exemplo, ele está redigindo um e-mail e nem sequer reconhece a sua presença; ou o chefe está conversando com você e não pára de se interromper para atender o telefone, porque o telefone é mais importante do que falar com você. Ou pior ainda, ele deprecia você ou o seu trabalho.

Os líderes medíocres nem sequer se dão o trabalho de conhecer o seu pessoal. Aprendi isso com um incidente entre o meu predecessor no *Benfold* e o então marinheiro Blaine Alexander, do Texas. Isso aconteceu próximo ao final da inspeção do comandante quando ele parou Blaine no passadiço e perguntou se ele era novo no navio. Já na ocasião, Blaine era um dos poucos capazes de contar sobre a construção do *Benfold* e tinha servido dois anos sob aquele comandante. Mas ele respondeu, com o rosto erguido:

— Sou, sim, senhor. E o que é que o senhor faz a bordo do navio?

O meu predecessor apontou para a sua estrela dourada de comando do mar e disse:

— Está vendo esta estrela? Isso significa que eu sou o comandante deste navio.

Blaine respondeu que era um prazer conhecê-lo.

Alguns marinheiros que testemunharam a conversa quase se dobraram ao meio de tanto rir.

Como administrador, o principal sinal que você precisa transmitir constantemente ao seu pessoal é que todos são importantes para você. Na verdade, nada é mais importante para você. Compreenda a sua influência e use-a de maneira sensata. Reconheça a influência que você exerce sobre os seus subordinados e como pode fazê-los sentir-se valorizados e crescer.

Quando deixei o *Benfold,* tornei-me o assistente de um importante executivo civil. Sempre que o meu chefe não conseguia comparecer à reunião de diretoria na segunda-feira de manhã, eu era encarregado de ocupar o lugar dele. Essas reuniões eram difíceis, porque o homem que as conduzia não aceitava muito bem as críticas, especialmente se envolvessem a equipe dele. Se alguém indicasse deficiências na operação deles, ele armava as suas defesas e começava a discutir com todo mundo na sala. Não acho que ele entendesse o efeito silenciador que exercia sobre as pessoas — era como se transmitisse uma mensagem: a minha operação é perfeita; não precisa de aprimoramentos.

Embora ele fosse uma pessoa talentosa, parecia para mim que a sua reação às críticas não nos ajudava a tratar de problemas profundamente enraizados na organização. Tentei pensar em alguma maneira de ajudar. Decidi mandar a ele um e-mail pessoal, no qual tentava com toda a delicadeza explicar como as explosões dele dificultavam os avanços e colocavam uma pedra sobre as discussões. Sugeri que ele considerasse tentar refletir sobre as próprias reações.

Imagine o que aconteceu: recebi um *e-mail* de volta dele dizendo mais ou menos o seguinte: "Você está certo. Não percebi a minha influência sobre as pessoas. Agora que você observou isso, vou procurar me controlar mais". E ele realmente começou a melhorar. Se o tivesse confrontado em público, os resultados teriam sido desastrosos.

Eu não tinha nada a ganhar e tudo a perder enviando o *e-mail*, o que em si é uma chave para o meu sucesso em questionar o pessoal da hierarquia superior. Deixei sempre muito claro que a minha única intenção era ajudar a Marinha a melhorar, com todo o devido crédito aos meus superiores, não para mim mesmo. Se eu fosse visto como alguém querendo se promover, teria sido descartado muito tempo antes de ter a oportunidade de comandar um navio. É bom para você quando os seus motivos são puros e você assegura que eles permaneçam assim.

É bem sabido que todo líder dá o tom à sua organização. Mostre-me um líder entusiasmado e eu lhe mostrarei uma força de trabalho entusiasmada. E vice-versa: se o líder tem um mau dia, toda a organização tem um mau dia.

Mas o que você faz nos dias em que simplesmente não consegue estar bem-humorado e positivo? O segredo é minimizar os danos que pode causar. A minha tripulação chamava isso de o meu "lado negro". Um navio no mar está em operação nas 24 horas por dia, durante sete dias por semana, e sempre estive à disposição para o caso de surgirem problemas. Os oficiais notavam que quanto mais eu era chamado durante a noite e menos podia dormir, mais carrancudo ficava no dia seguinte. Assim, passaram a controlar as ocasiões em que me ligavam, e se fossem quatro ou mais vezes durante a noite, ou se eu tivesse de sair da câmara para supervisionar alguma coisa, eles sabiam que o dia seguinte não seria agradável. Mais tarde descobri que, depois do toque de alvorada (6 horas da manhã), corria a notícia sobre quantas vezes eu fora acordado. Depois de uma noite sem dormir, um grumete de 19 anos de idade apareceu à minha frente quando eu estava sentado na minha cadeira na asa do passadiço e disse:

— Comandante, estão dizendo que o lado negro vai ser visto hoje.

Ainda dou risada desse incidente. A lição a ser aprendida, no entanto, é que todo mundo tem um lado negro, e quanto mais você se conhece, melhor consegue controlá-lo. Decidi minimizar a interação com a minha tripulação nos dias em que o lado negro estivesse evidente, então ele pelo menos não causaria nenhum dano.

OS LÍDERES SABEM QUANDO ASSUMIR A RESPONSABILIDADE.

Em todos os meus anos na Marinha, houve várias ocasiões em que acidentes aconteceram ou erros foram cometidos — manobras arriscadas a bordo; movimentação de equipamento pesado; exercícios táticos; e assim por diante. Honestamente, muitos desses desacertos foram difíceis de evitar por causa da imensa quantidade de equipamento envolvido. Quer dizer, eles custam tantos milhões de dólares do dinheiro dos contribuintes para adquirir quantos para ser retificados ou reparados.

Quando esses acidentes aconteciam, eu ficava impressionado ao ver quantas vezes todo mundo tentava se livrar da culpa ou alguém tentava se esquivar de ser considerado o responsável. Provavelmente, isso faz parte da natureza humana — ninguém quer ser culpado por uma grande trapalhada. Mas sempre acreditei que os líderes sabem quando se apresentar como os responsáveis.

Pessoalmente, eu gostaria de viver numa cultura que permitisse que as pessoas reconhecessem candidamente os seus erros e assumissem a responsabilidade. É muito mais conveniente concentrar-se em assegurar que o acidente nunca mais se repita, em vez de encontrar alguém a quem atribuir a culpa. No papel de comandante, eu não queria alimentar uma cultura que mostrasse às classes mais inferiores da carreira naval que as classes mais elevadas tentavam ocultar os problemas evitando se culpar ou salvar a sua carreira.

NUNCA FALHE NO TESTE DA MÍDIA.

Quando assumi o comando do *Benfold,* não havia dúvida de que queria que ele fosse o melhor navio na história da Marinha. Mas, para mim, também era importante atingir esse objetivo da maneira certa. Sempre tomei cuidado para evitar atalhos éticos. O teste que fazia comigo mesmo era simples, e permitia que eu decidisse seguir em frente ou parar, em termos das conseqüências óbvias. Simplesmente me perguntava o seguinte: se eu estivesse prestes a sair na primeira página do jornal mais influente do país no dia seguinte, ficaria orgulhoso ou envergonhado? Se soubesse que ficaria envergonhado, não fazia nada. Se fosse ficar orgulhoso, então sabia que estava no caminho certo.

Chegar a algum lugar é importante. Como você chega lá é igualmente importante. E por menos sofisticado que isso pareça, conforme já afirmei antes, o modelo elementar é suficiente: faça a coisa certa. Esqueça a mesquinharia da política, não se preocupe se vai incomodar alguém ou eriçar os pêlos dos outros; se é a coisa certa a fazer, descubra uma maneira de superar os egos, uma maneira de contornar os empecilhos burocráticos e siga em frente.

Em geral, mesmo se perceber tarde demais, você não pode estar 100 por cento seguro de que fez a coisa certa. Quando estiver em dúvida, siga os seus instintos. Pelo menos uma vez, eu fiz isso em nome dos meus oficiais do *Benfold,* e sou grato por isso.

Considerando que todo mundo é necessário em combate, não é possível conseguir uma folga anual quando o navio está no mar. A única exceção é para os marinheiros com familiares em situação crítica de saúde. Nesse caso, mandamos as pessoas de avião para casa. Normalmente, não damos folga às pessoas pelo nascimento de um filho, mas, mesmo nesse caso, um dos meus mais importantes oficiais pediu-me para abrir uma exceção. A esposa dele estava para dar à luz três dias depois que deixamos San Diego rumo ao Golfo Pérsico, o que significava que, se ele deixasse o navio, perderia o exercício decisivo que estávamos planejando executar no caminho para Honolulu.

Eu me questionei amargamente sobre o assunto por um bom tempo. Muitos homens tinham perdido o nascimento de um filho e eu não queria conceder a um oficial uma folga que não poderia dar à tripulação. Por fim, decidi que assumiria o risco. Do ponto de vista da Marinha, provavelmente não seria uma boa decisão, e na verdade acho que o meu imediato diria o mesmo.

Quatro dias depois da nossa partida, o bebê nasceu em condição crítica, e durante um mês inteiro não ficou claro se ele sobreviveria. Nos termos da Marinha, a essa altura a folga era plenamente justificada, uma vez que o bebê estava em condição crítica. O oficial não perdeu apenas uma semana de serviço no mar, mas seis semanas ao todo. Quando penso nisso, sou eternamente grato por ele ter estado junto à esposa e ao filho recém-nascido. Fizemos a coisa certa por aquele oficial. E o menino recém-nascido, que agora tem 4 anos de idade, goza de boa saúde.

E se a história toda fosse apresentada na mídia, eu não teria nem um pingo de vergonha.

Também mudei a política para as licenças para o caso de nascimentos. Daquele dia em diante, tanto oficiais quanto praças poderiam voltar de avião para casa para o nascimento de um filho, a menos que estivéssemos realmente em combate.

OBEDEÇA MESMO QUANDO DISCORDA.

Muito freqüentemente, a sua cadeia de comando apresenta uma política com a qual você não concorda — ainda assim, é sua responsabilidade aplicá-la. É importante expressar as suas objeções em particular junto aos seus chefes. Mas, se você não conseguir convencê-los com os seus argumentos, é importante passar a ordem adiante como se a apoiasse 100 por cento.

Essa disciplina é decisiva em batalha, é claro. As ordens de um comandante não podem ser ignoradas; elas são essenciais para salvar vidas ou navios. Se tenho um míssil vindo na minha direção e dou a ordem para disparar, preciso ter a máxima confiança de que a minha tripulação irá executá-la sem demora.

É importante que você não prejudique os seus superiores. Em toda organização, o seu pessoal precisa saber que você está de acordo com a sua cadeia de comando. Se perceberem que você age quando bem entende, irão sentir-se à vontade para não apoiar você quando discordarem da sua política.

Depois de escutar as minhas histórias do mar e noções de liderança, algumas pessoas pensam que passei a minha carreira na Marinha questionando a autoridade e brincando com almirantes tranqüilos. Nada poderia estar mais distante da verdade. Eu não era nem um rebelde nem um guerrilheiro da administração. Atuava inteiramente dentro dos parâmetros estabelecidos para os oficiais de marinha. Tinha o comando do meu próprio navio, mas no fim do dia não era mais do que um gerente de nível médio numa empresa de 400.000 pessoas.

O fato de ter uma opinião formada em relação às políticas de pessoal da Marinha e esperar que pudesse contribuir para mudá-las não significa que eu acalentasse fantasias de que seria capaz de mudá-las todas sozinho. Não, o melhor caminho a seguir era fazer o máximo que estivesse ao meu alcance — uma cadeia de comando que deixasse as pessoas realmente com autonomia para pôr em prática as minhas idéias se concordassem com elas.

Quando me designavam uma tarefa com a qual eu não concordava, algumas vezes eu perguntava aos meus subordinados se achavam que havia uma maneira melhor de atingir a meta que o meu chefe estabelecera. Não há nada de errado em tentar encontrar uma maneira melhor de cumprir as ordens que lhe deram. Os meus superiores gostavam da minha honestidade. Se eu conseguisse apresentar um método mais avançado, eles normalmente me escutavam. No fim, eles me davam crédito para fazer o que fosse preciso — o que me agradava muito. E eu lhes dava a melhor razão possível para fazer o que eu queria.

CAPÍTULO TRÊS

OUÇA COM O MÁXIMO DE ATENÇÃO

A minha formação em liderança realmente começou quando estive em Washington, acompanhando a atuação de William Perry. Ele era adorado e querido universalmente por chefes de Estado, por ministros de Defesa e das Relações Exteriores, e pelas nossas próprias tropas e pelas tropas estrangeiras aliadas. Grande parte dessa simpatia era decorrente da maneira como ele se dispunha a ouvir os seus interlocutores. Toda pessoa que conversava com ele podia contar com a sua atenção total e irrestrita. Todo mundo crescia na presença dele, porque ele respeitava as pessoas, e compreendi que queria ter esse mesmo tipo de influência sobre as pessoas.

Perry tornou-se o meu modelo de comportamento, mas isso não foi o bastante para mudar o meu estilo de liderança. Alguma coisa maior precisava acontecer, e aconteceu. Foi doloroso, mas decisivo para o meu entendimento, pois ouvir nem sempre fora a minha atitude natural. Perry abriu os meus olhos para o modo como eu geralmente apenas fingia ouvir as pessoas. Quantas vezes, eu me perguntava, mal levantara os olhos do meu trabalho quando um subordinado entrava na minha sala? Não prestava atenção; ficava marcando o tempo até que fosse a minha vez de dar as ordens.

Essa compreensão me levou a uma nova meta pessoal. Pouco tempo depois de assumir o comando do *Benfold*, prometi a mim mesmo considerar cada encontro com qualquer pessoa do navio como a coisa mais importante do momento. Não foi fácil para mim, e não me saí tão bem assim, mas o entusiasmo da minha tripulação e as suas idéias inteligentes me ajudaram a perseverar.

VEJA O SEU NAVIO PELOS OLHOS DA SUA TRIPULAÇÃO.

Não precisei de muito tempo para compreender que a minha jovem tripulação era inteligente, talentosa e cheia de boas idéias, que freqüentemente não eram aproveitadas porque ninguém no comando nunca lhes dera ouvidos. A exemplo da maioria das empresas, a Marinha parecia colocar os administradores num modo de comunicação que minimizava a sua receptividade. Estavam todos condicionados a promulgar ordens de cima, não a receber de bom grado sugestões de baixo.

Concluí que o meu trabalho devia ser ouvir com a máxima atenção e acolher as boas idéias da tripulação para melhorar o desempenho do navio. Alguns tradicionalistas poderiam considerar essa postura como uma heresia, mas na verdade nada mais é do que simples bom senso. Afinal de contas, o pessoal que faz todo o trabalho no navio muitas vezes vê coisas que os oficiais não vêem. Na minha opinião, era no mínimo prudente o comandante se esforçar para ver o navio pelos olhos da tripulação. O meu primeiro passo foi tentar aprender os nomes de todos os que estavam a bordo. Não foi fácil. Tente ligar 310 nomes a 310 rostos em um mês.

Às 2 horas de uma madrugada, acordei de repente e disse a mim mesmo: "A única maneira de criar o clima certo é dizer a cada marinheiro, pessoalmente, qual é o clima que espero criar". Decidi entrevistar cada tripulante do navio para que todos pudessem ouvir as minhas expectativas diretamente.

Saí correndo para trabalhar naquela manhã e, sem informar à minha cadeia de comando, comecei a entrevistar cinco tripulantes por dia, um de cada vez.

Não sabia aonde chegaria quando comecei as entrevistas. Sabia apenas que estava desesperado para estabelecer um estilo diferente. Comecei com perguntas muito básicas: o nome deles; de onde provinham; o estado civil. Eles tinham filhos? Nesse caso, quais eram os nomes deles? (Nessa ocasião, vim a saber não só os nomes dos meus tripulantes, mas também os dos cônjuges.) Então eu perguntava sobre o *Benfold*: do que eles mais gostavam no navio? Do que gostavam menos? Que mudanças fariam, se pudessem?

Tentei estabelecer um relacionamento pessoal com cada tripulante. Queria unir as nossas metas, de modo que vissem a minha prioridade de melhorar o *Benfold* como uma oportunidade para aplicarem os seus talentos e dar um sentido verdadeiro ao seu trabalho.

As minhas entrevistas incluíam perguntas mais detalhadas: eles tinham recordações especiais da escola secundária? E quanto à cidade de origem? Eu perguntava se tinham metas para o tempo que passariam na Marinha; e com relação ao futuro? Sempre lhes perguntava por que tinham se alistado na Marinha. Até aquela altura, eu nunca descobrira por que as pessoas se alistavam. Assim, fiquei sabendo que 50 por cento haviam se alistado porque a família não tinha condições de mandá-los à faculdade e 30 por cento procuraram esse caminho para se afastar de situações desagradáveis em casa — drogas, gangues e outros tipos de violência, por exemplo. Algumas das histórias me emocionaram profundamente.

Um marinheiro fora criado por um parente distante depois que os pais morreram num acidente de carro quando ele era muito jovem. Outro crescera num bairro onde os tiroteios noturnos não eram uma ocorrência incomum. A família de outro marinheiro ainda era de imigrantes que haviam chegado ao país sem nada e aceitavam qualquer trabalho para conseguir sustentar os filhos.

Em praticamente todos os casos, os meus marinheiros não haviam nascido nem remotamente no que se poderia chamar de berço de ouro. Mas todos eles, sem exceção, estavam tentando dar um sentido à própria vida. Esse é um dos maiores pontos fortes de um serviço militar em que todos são voluntários. Eles eram todos homens e mulheres bons, jovens, trabalhadores. No mínimo, mereciam o nosso respeito e admiração.

Algo aconteceu comigo como resultado dessas entrevistas. Passei a respeitar imensamente a minha tripulação. Já não se tratava mais de corpos anônimos para os quais eu gritava ordens. Compreendi que eles eram exatamente iguais a mim: tinham esperanças, sonhos, familiares, e queriam acreditar que o que estavam fazendo era importante. E queriam ser tratados com respeito.

Eu me tornei não só o líder, mas o maior incentivador dessas pessoas. Como você pode tratar mal as pessoas quando as conhece e respeita? Como pode magoá-las quando compreende que a jornada em que estão não só irá melhorar o seu local de trabalho e ajudá-lo, mas também melhorar a sociedade? Para mim, foi um prazer ajudar essas pessoas a entender o que elas queriam na vida e traçar um curso para chegar lá.

A maioria desses marinheiros nunca entrara na câmara de um comandante antes. Mas, depois que entenderam que o convite era sincero, a resposta foi esmagadora. Eu tinha um microfone para o sistema de fonoclama* do navio na minha mesa. Sempre que recebia uma boa sugestão, apertava o botão e informava a todo o navio a respeito. Não precisava passar por uma comissão de gestão — o tempo de retorno ao lançar uma boa idéia era de aproximadamente cinco minutos.

A partir dessas conversas, compilei duas listas de todos os trabalhos executados no navio. A lista A consistia de todas as nossas tarefas decisivas para a missão. Na lista B estavam todas as nossas tarefas corriqueiras sem valor agregado — as tarefas monótonas, repetitivas, como raspar e pintar.

Ataquei a lista B com gosto. Um dos primeiros marinheiros que entrevistei recordou-me que repintávamos o navio seis vezes por ano. A cada dois meses, os meus marinheiros mais jovens — aqueles de quem mais eu queria me aproximar — precisavam passar dias inteiros lixando ferrugem e repintando o navio. Era um desperdício enorme de tempo e esforço, tanto mental como também físico, e um dreno no moral, além do mais.

O marinheiro sugeriu um procedimento melhor: usar parafusos, porcas e arruelas de aço inoxidável para substituir os que oxidavam e manchavam de ferrugem os costados do navio. Ótima idéia, eu disse. Em seguida, verificamos com o almoxarifado da Marinha. Sentimos muito, foi a resposta, não há parafusos de aço inoxidável no estoque. Forçamos a situação, fomos fazer compras no depósito de ferragens mais próximo (como também em algumas outras lojas), e usamos o cartão de crédito do navio para empenhar milhares de dólares em parafusos de aço inoxidável. Depois de colocados, eles nos permitiram prescindir de pintura por praticamente um ano. A propósito, a Marinha inteira passou a adotar os parafusos de aço inoxidável em todos os seus navios.

Em seguida, investigamos todas as peças metálicas removíveis na parte externa do navio que fossem suscetíveis de corrosão. Estava em uso um processo relativamente novo para preservar o metal que envolvia queimá-lo para remover as impurezas da superfície, depois pintá-lo a fogo com uma tinta antiferrugem especial. Esse processo altamente eficaz já estava em uso na Marinha, mas as instalações para executá-lo eram tão acanhadas que era praticamente impossível tratar até mesmo uma fração do que precisáva-

---

* Fonoclama é o sistema de alto-falantes do navio, para divulgação de ordens e alarmes. (N.R.)

mos. Então encontramos uma empresa de acabamento de aço em San Diego que tinha capacidade de fazer o trabalho. O processo inteiro custou 25.000 dólares, e o trabalho de pintura vinha com a garantia de durar por vários anos. Os marinheiros nunca mais precisaram pegar novamente em um pincel. Com mais tempo para aprender as suas tarefas, eles começaram a melhorar cada vez mais os indicadores de prontidão por todo o navio. Dessa época em diante, a Marinha aumentou incrivelmente a capacidade de fazer o mesmo em todas as suas embarcações.

ENCONTRE AS PESSOAS CERTAS PARA OS LUGARES CERTOS.

As minhas entrevistas deram-me as informações que me permitiram combinar as metas pessoais e profissionais dos meus tripulantes com as tarefas que precisavam ser executadas. Às vezes você tem tarefas que não se enquadram nas descrições de cargo tradicionais. Quando pesquisava o banco de dados na minha cabeça, descobria que tinha alguém cujos interesses combinavam com uma tarefa determinada.

Conhecer bem o meu pessoal foi um recurso fantástico, um instrumento que ajudou todos a se saírem bem, até mesmo ao executar trabalhos desagradáveis.

Comecei a aprender essa lição quando era o imediato do USS *Shiloh*. Esse posto é um dos mais desgastantes da Marinha porque, além de ser o segundo no comando, o imediato também cuida de toda a burocracia e da papelada do navio. O *Shiloh* tinha uma tripulação de 440 pessoas, o que quer dizer registros de avaliações de desempenho, registros de instrução, registros de pagamentos, registros médicos, registros dentários e registros sobre registros para 440 pessoas. Estremeço só de pensar em quantas árvores morrem por ano só para suprir a necessidade de papel de um navio. Meu assistente administrativo principal era um sujeito que só foi promovido porque tinha ficado ali por mais tempo do que qualquer um. Ele não sabia digitar, não sabia revisar os textos e não sabia usar o corretor ortográfico do computador — e as poucas coisas que era capaz de fazer, fazia muito lentamente. Um dia ele saiu de férias, deixando-me em meio a um mar de papéis que continham mais erros do que se possa imaginar.

Mas então um marinheiro moderno, David Lauer, de 21 anos de idade, chegou a bordo. Ele fora transferido do escritório administrativo do navio em terra porque não conseguira se adaptar. Pior, aquele jovem pouco tempo antes fora acusado de insubordinação. Então eu esperava nada ou quase nada, imaginando contra todas as expectativas que ele de alguma maneira fosse capaz de diminuir a bagunça administrativa e me dar liberdade para cuidar da verdadeira missão de um contratorpedeiro com mísseis teleguiados — prontidão para o combate.

Reuni-me com ele e expliquei-lhe em poucas palavras os seus deveres. Pouco tempo depois, vi aquelas pilhas de relatórios de registros de aptidão e instrução passarem do lado bagunçado do meu camarote para a caixa de "Para Assinatura" na minha escrivaninha. Milagrosamente, as pilhas de papel estavam desaparecendo. As palavras vinham escritas corretamente; as frases tinham realmente sujeito e predicado pela *primeira vez;* e me vi manuseando a papelada uma vez apenas. Fiquei perplexo.

Um dia, perguntei ao David por que fora afastado da central administrativa.

— Acho que o chefe do setor me odiava — ele respondeu.

Ele explicou que, um mês depois de começar a trabalhar para o navio, tinha sugerido como melhorar a eficiência e os processos do escritório, e o sargento não gostou. Depois de continuamente dar murros em ponta de faca por ser inferior hierarquicamente, David desistiu e decidiu que não estava mais interessado.

Bem, esse era exatamente o tipo de pessoa independente de que eu precisava, então tornei-o meu assistente principal, passando por cima de cinco pessoas mais graduadas na hierarquia. No fim, David vinha me procurar com os relatórios de aptidão dos oficiais e me questionava:

— Senhor, não ficaria melhor se mudássemos este parágrafo por isto?

E normalmente ele já tinha feito a mudança para que eu assinasse na hora. Quem me dera eu tivesse mais desempenho em vez de apenas antigüidade todos os dias da semana.

USE O PODER MÁGICO DA PALAVRA.

Seria difícil para mim exagerar a influência de William Perry sobre a minha carreira. Ele me ajudou a crescer radicalmente, tanto como líder como quanto pessoa. A segunda lição mais importante que ele me ensinou foi sobre o poder da linguagem para influenciar o moral. Se os líderes apoiassem as suas palavras na ação, se praticassem o que apregoam, as palavras seriam como uma profecia inquestionável. Chame a isso de "magia da palavra".

Em 1996, quando a China estava produzindo mísseis para lançar sobre Taiwan, enviamos dois grupos de batalha de porta-aviões à região. Aconteceu de o Secretário Perry estar testemunhando no Capitólio e um senador lhe perguntar sobre a situação. Como parte da resposta, ele disse que não estava preocupado, porque nós "temos a melhor Marinha de guerra do mundo". Foi considerado um enorme voto de confiança e um incentivo moral para a Marinha, a qual vinha arfando entre um fracasso e outro. Aquelas palavras tornaram-se o lema de Perry.

Decidi que o *Benfold* seria o melhor navio de guerra daquela Marinha. Repetia isso para os meus marinheiros o tempo todo, e finalmente eles acreditaram nisso. Disse-lhes que queria que, quando cumprimentassem qualquer visitante que viesse a bordo, olhassem a pessoa nos olhos, apertassem-lhe a mão e, sorrindo, lhe dissessem:

— Bem-vindo ao melhor navio de guerra da Marinha.

Os visitantes adoravam isso. Eles davam um jeito de me encontrar e comentar que experiência maravilhosa fora lidar com a minha tripulação. Para mim, é assim que você aumenta o valor das suas ações e faz o seu negócio prosperar. Quando ficávamos ao lado de um outro navio, ligávamos o sistema de alto-falantes e transmitíamos uma saudação do melhor navio de guerra da Marinha. Para falar a verdade, nenhum navio antes se havia designado "o melhor da Marinha", assim alguns dos outros navios se ressentiram da ostentação, mas eu queria que o meu pessoal tivesse autoconfiança.

Evidentemente, era algo sentimental. Mas funciona, porque a confiança é contagiosa. Se ainda não fôssemos de fato os melhores, certamente estávamos a caminho disso.

Tínhamos outro ditado no navio: "O sol sempre brilha no *Benfold*". As pessoas começaram a acreditar nisso também.

55

CAPÍTULO QUATRO

COMUNIQUE O OBJETIVO E O SENTIDO

O grande segredo para comandar um navio ou administrar uma empresa é articular uma meta comum que inspire um grupo variado de pessoas para que se empenhem em conjunto. Isso é o que os meus marinheiros conseguiram: um objetivo que transformou a vida de todos eles e tornou o *Benfold* uma combinação de uma escola de elite, uma igreja viva, um time de futebol vencedor e — melhor que tudo — o navio mais disponível e confiável de toda a Marinha americana.

Quando assumi o comando, caminhava pelo navio tentando entender por que tudo parecia tão desesperadamente errado, por que não havia energia em lugar nenhum. Finalmente, ocorreu-me que as pessoas estavam apenas marcando presença para receber o salário a cada duas semanas. Todos simplesmente deixavam a paixão e o entusiasmo trancados nos seus carros no estacionamento e apenas traziam o corpo para trabalhar. Eu queria que estivessem energizados quando viessem a bordo. Queria que se divertissem bastante das 9 às 5 todos os dias no trabalho assim como faziam das 5 às 9 todas as noites em casa.

Então compreendi o que faltava: ninguém nunca tinha pensado em dar-lhes uma visão apaixonante do trabalho, uma boa razão para acreditar que ele era importante. Afinal de contas, nós dedicamos 60 a 70 por cento das horas que passamos acordados a essa coisa chamada trabalho. Seria terrível se não acreditássemos que a nossa atividade principal não faz nenhuma diferença.

Portanto, refletimos durante algum tempo, e tivemos uma visão apaixonante na qual os marinheiros poderiam acreditar. Começamos a fazer aperfeiçoamentos. E lentamente eles pararam de deixar o entusiasmo no carro e começaram a trazê-lo para o trabalho.

FAÇA A SUA TRIPULAÇÃO PENSAR: "PODEMOS REALIZAR QUALQUER COISA".

No *Benfold*, usamos todos os meios de comunicação possíveis, incluindo e-mails particulares para os superiores estratégicos; boletins informativos diários para a tripulação; meu próprio incentivo para boas idéias e caminhadas pelo navio para conversar com o pessoal; e espetáculos de luz e música em alto volume que expressavam a exuberância do *Benfold*. Também emitíamos um fluxo constante de mensagens de prontidão para tarefas que variavam desde a defesa aérea a bloqueios no mar. Quando estávamos deixando o Golfo Pérsico, depois da nossa excursão de cem dias de serviço, o Vice-Almirante Tom Fargo (Comandante-em-Chefe da Quinta Esquadra no Golfo Pérsico) puxou-me de lado e disse que eu era o único comandante que ele conhecia que escrevia mensagens de dez páginas sobre como melhorar os nossos procedimentos. Disse também que essas mensagens eram as únicas que ele já recebera que valiam a pena ser lidas do princípio ao fim. O nosso navio por inteiro se transformou num meio de comunicação, refletindo para a esquadra inteira um sentimento de realização e otimismo de ser capaz de fazer qualquer coisa.

Ao contrário do meu chefe anterior, que se queixava das pessoas publicamente, eu costumava usar o sistema de alto-falantes do *Benfold* para elogiar as pessoas, comunicar novas idéias, explicar as nossas metas e manter todo mundo trabalhando em conjunto em torno de uma causa comum. Eu usava tanto o sistema de alto-falantes que descobri depois que a tripulação me chamava de "Mega Mike" ou "Mike Megafone". Diziam que eu não resistia a falar num microfone.

A exemplo de qualquer outra força de trabalho, o meu pessoal gostava de ter informações da cúpula administrativa. Esse tipo de comunicação é outra coisa que falta em muitas empresas hoje em dia — o silêncio administrativo parece estar crescendo exatamente quando a competição feroz força as empresas a se reinventar constantemente. A mudança amedronta os trabalhadores, e o medo prospera em meio ao silêncio. O antídoto é óbvio: comunique-se sempre, fale com todos o tempo todo. Conte pessoalmente para todo mundo o que se espera de cada um — as novas metas, novas descrições de trabalho, uma nova estrutura organizacional e, sim, demissões, se for o caso. Explique por que a empresa está fazendo as mudanças. As pessoas são capazes de absorver qualquer coisa se não forem menosprezadas ou tratadas com arrogância. Mentiras e arrogância criam uma atmosfera de "nós contra eles" que envenena a produtividade.

Concluí que, antes de lançar qualquer nova política importante, eu me perguntaria como os meus marinheiros iriam encará-la. Se fizesse sentido segundo esse ponto de vista, provavelmente seria uma política satisfatória. Se não fizesse sentido nenhum, era uma política errada, ou eu não a estava comunicando claramente. Se me comunicasse claramente, as pessoas entenderiam, antes de se envolver, por que a nova política servia aos interesses de todos, e foi assim que conseguimos 100 por cento de apoio da tripulação para quase todas as mudanças que fizemos.

Alguns líderes acham que, mantendo as pessoas no escuro, elas mantêm uma boa dose de controle. Mas isso é uma tolice para um líder e o fracasso de uma empresa. O sigilo gera isolamento, não sucesso. Conhecimento é poder, sim, mas o que os líderes precisam é poder coletivo, e isso requer conhecimento coletivo. Descobri que, quanto mais as pessoas conheciam quais eram as metas, melhor aceitação eu tinha — e alcançávamos os melhores resultados juntos.

DESBLOQUEIE OS CANAIS OBSTRUÍDOS.

No tempo em que eu galgava postos na carreira naval, ficava cada vez mais frustrado ao ver como as informações permaneciam paradas nos setores de nível médio. Sabia que as mensagens enviadas no sentido inferior da cadeia de comando geralmente seriam interrompidas no caminho, de modo que as pessoas da base não recebessem a menor informação. Assim, o pessoal da base continuava fazendo o que pensava que era exigido, só para acabar sendo admoestado. Nada poderia ser mais irritante.

Decidi que, quando assumisse o comando, iria me concentrar em propiciar um tipo de comunicação que de fato transmitisse informações. O meu raciocínio era egoísta e simples: havia uma relação direta entre o quanto a tripulação sabia sobre um plano e até que ponto o executava a contento. Isso, por sua vez, proporcionou melhores resultados e nos ajudou a ficar mais prontos para o combate.

Às vezes, os problemas de comunicação eram graves, e um equipamento com defeito quase arruinou toda a esquadra do Golfo na crise iraquiana de 1997. De todos os grandes momentos das comunicações durante meus anos no *Benfold,* o de que mais me orgulho é o do trabalho do primeiro-sargento de comunicações John Rafalko, de Wilkes-Barre, Pensilvânia. Com uma idéia original, Rafalko conseguiu desobstruir manualmente aquele monstruoso bloqueio.

Em 1997, a maneira como os navios da Marinha se comunicavam no mar perdera terreno de longe para a revolução digital. Embora os serviços militares fossem os primeiros a usar os satélites para as comunicações, nunca previmos o aumento inusitado da necessidade de informações. Uma das maiores deficiências na operação Tempestade do Deserto contra Saddam Hussein, em 1991, foi a nossa incapacidade de obter mais informações das linhas avançadas. Nunca investimos em aumentar a capacidade de linhas de transmissão. Sem dúvida, o sistema era seguro: era possível enviar informações secretas, porque, ao contrário das transmissões pela Internet, o material era altamente codificado. Infelizmente, os cabos foram insuficientes para transmitir as informações urgentes que nunca conseguiram ser recebidas.

Durante a crise iraquiana de 1997, essa limitação cresceu a um ponto em que, a qualquer momento, cerca de 7.000 mensagens operacionais poderiam se desviar ou simplesmente ser interrompidas. Algumas não atingiam o destinatário em pelo menos cinco a seis dias, deixando os comandantes no vazio. Algumas mensagens foram completamente perdidas. O nosso pessoal do principal navio de defesa antiaérea ficou tão cansado do congestionamento que começou a usar um sistema de satélite comercial para transmitir as informações criptografadas — a um custo de 10,50 dólares por minuto.

A ironia era que o *Benfold* e muitos outros navios tinham sido equipados com um novo sistema de satélite projetado para comunicação de voz e uma rápida transmissão de dados necessária para o lançamento de mísseis *Tomahawk.** Infelizmente, a maneira como funcionava esse sistema era um mistério para a maioria dos operadores de rádio, nenhum dos quais fora treinado para usá-lo corretamente, muito menos para aproveitar os seus recursos. Então entra em cena o operador de rádio do *Benfold,* John Rafalko.

---

* *Tomahawk* é um míssil de cruzeiro de longo alcance para ataque a alvos em terra. (N.R.)

John passou horas lendo todos os manuais técnicos do novo sistema. Depois, ele me disse que seria capaz de resolver todos os nossos problemas de comunicações em todo o Golfo Pérsico. Essa era definitivamente a informação que eu achava que o almirante de três estrelas* já precisava havia muito. No entanto, seguindo o meu princípio de atuar dentro do sistema, informamos a idéia de Rafalko primeiro ao almirante de duas estrelas que era o chefe do estado-maior, que achou que aquilo não funcionaria. O chefe do estado-maior observou que, a seu ver, a implementação da idéia poderia desviar a força de trabalho necessária, e ele não se sentia à vontade para usar o sistema para uma finalidade diferente daquela para a qual fora designado.

Seis semanas depois, com os leviatãs da esquadra americana à beira de tornar-se incomunicáveis, fui em frente e enviei ao almirante de duas estrelas (meu chefe no grupo de batalha) uma mensagem urgente detalhando a idéia de Rafalko e explicando por que pensava que funcionaria. Ele aceitou os argumentos, ordenando que a idéia fosse colocada imediatamente em prática.

Num instante, levávamos John Rafalko pelo ar por todo o golfo para instruir os outros navios sobre como usar o sistema. Ele se tornou o nosso astro famoso, de quem estávamos extremamente orgulhosos. O nosso primeiro-sargento calmamente atualizou todos os especialistas em comunicações de graduação superior.

O novo sistema entrou em ação na hora e funcionou perfeitamente. O problema de pedidos por atender desapareceu praticamente da noite para o dia. As tubulações do sistema eram tão grandes e a transmissão estava tão clara que era possível enviar oceanos de mensagens. De repente, os navios se comunicavam entre si sem interrupção, sem o menor problema.

O meu único papel nessa saga foi escutar Rafalko, valorizar a idéia dele e fazer por ela o melhor que pude depois de me convencer de que era uma boa idéia. A força do talento e do pensamento dele fez o resto. A única coisa que lamento foi não ter tido forças mais cedo para levar a idéia adiante. Esse é um exemplo de um tempo em que eu deveria ter passado por cima da burocracia e não tolerado um atraso de seis semanas.

O que esse operador de rádio fez sozinho pela Marinha foi algo fenomenal. Ele nos tirou de uma crise em tempo de guerra e aumentou exponencialmente a nossa eficácia em todo o Golfo Pérsico e no mundo. Quan-

---

* O almirante de três estrelas é o Comandante-em-Chefe da Quinta Esquadra. (N.R.)

do regressamos a San Diego, pediram que fizéssemos um relatório a respeito ao Comandante-em-Chefe da Terceira Esquadra, um almirante de três estrelas. Essa reunião de alto nível consistiu apenas em oficiais generais e superiores — e John Rafalko. Uma vez que a idéia fora dele, eu o levei comigo para explicá-la. Nunca estive mais orgulhoso de alguém do que quando o jovem Rafalko tornou-se o professor e o três-estrelas o aluno. O almirante ficou visivelmente impressionado com a explicação de John do seu novo procedimento. Na Marinha do *Benfold*, o talento não conhece hierarquia.

Quando deixamos o *Benfold*, não permitimos que John Rafalko se apagasse na obscuridade. A Casa Branca rapidamente o atraiu para ajudar a assegurar comunicações do mais alto nível para o presidente dos Estados Unidos.

A história de John prova que não importa quão fantástica seja a sua mensagem: se ninguém vai recebê-la, você não está se comunicando. Você deve ter o domínio de todos os meios de comunicações, juntamente com a vontade de usá-los — de outra maneira, você estará apenas falando sozinho.

DEPOIS DE CRIAR UMA GRANDE MARCA, DEFENDA-A.

Enquanto permanecemos no Golfo Pérsico, a minha tripulação de 310 pessoas acumulou uma reputação coletiva que tornou o *Benfold* o navio mais famoso da Quinta Esquadra. Tudo o que fazíamos — de delegar autonomia aos marinheiros até lançar os mísseis *Tomahawk* — parecia tornar-se o acontecimento noticioso da esquadra dominante na reunião matinal de informações do nosso almirante. A modéstia não consegue me impedir de saborear aqueles tempos vertiginosos. No fronte diplomático, sempre que uma missão exigia astúcia e capacidade, os comandantes enviavam o *Benfold*. Operacionalmente, quando queriam que um trabalho fosse executado sem deixar margem para falhas, despachavam o *Benfold*. No fronte moral, quando queriam aumentar o ânimo da esquadra, tentavam imitar a nossa irreverência, a nossa espontaneidade, a excentricidade dos nossos entretenimentos — em resumo, a nossa insuperável capacidade de transformar marinheiros cansados, entediados e apáticos em guerreiros animados.

Queríamos proteger a nossa reputação incrível e assegurar que não daríamos munição aos nossos detratores potenciais. As minhas regras para baixar a terra em portos estrangeiros eram estritas, claras, coerentes e não negociáveis. Qualquer um que desacreditasse o USS *Benfold* ficaria confinado ao navio pelo resto das manobras. Conforme eu entenda, toda pessoa nas forças militares americanas representa os Estados Unidos. Éramos embaixadores e tínhamos de nos comportar de acordo com essa expectativa. Eu simplesmente não desperdiçaria a nossa reputação, então praticava a tolerância zero em relação ao mau comportamento. Não ameaçava nem fazia discursos em relação a esse assunto. Simplesmente deixava as conseqüências bem claras.

Em Bahrein, por exemplo, os meus marinheiros estiveram no bar da base e não perderam de vista o clima reinante. O pessoal da segurança da base costumava dizer que era fácil reconhecer quais eram os marinheiros do *Benfold,* porque eram os que se comportavam melhor. Uma noite, uma briga feia, que resultou em baixas à enfermaria, deflagrou-se entre os marinheiros um tanto embriagados de dois outros navios. Na reunião de informações em nível de três estrelas foi informado que os marinheiros do *Benfold* recusaram-se a ter algo a ver com o tumulto. Como sempre, permaneceram unidos no seu grupo, no local mais distante do bar, sem se envolver.

Pode ser que o comportamento da tripulação nos momentos de folga não tenha sido inteiramente voluntário. Mas todos gostamos do resultado. Sempre que surgia um problema em terra, podíamos ter certeza de que os marinheiros do *Benfold* manteriam distância, preservando a reputação de uma embaixada confiável conquistada pelo navio.

LIBERDADE GERA DISCIPLINA.

As minhas entrevistas com a tripulação serviram para autorizar os meus marinheiros a pensar e agir por conta própria. Mas, igualmente importante, se não mais do que isso, era o nosso processo de acompanhamento. No interesse de não guardar segredos e de dar o crédito devido, admito que tirei essa idéia do Exército. Isso mesmo, do Exército: até mesmo um relógio quebrado marca a hora certa duas vezes ao dia, e nos guiamos por essa idéia. É chamada de Análise Pós-Ação, ou APA. Depois de toda decisão, acontecimento ou manobra importante, os envolvidos se reuniam ao redor da minha cadeira no passadiço e expunham os seus comentários. Mesmo que as coisas tivessem ido bem, ainda assim fazíamos a análise. Algumas vezes, as coisas davam certo por acidente, e você era deixado com uma ilusão perigosa de que fora obra sua. Nós documentávamos o que estávamos tentando fazer, a maneira como fizemos, quais as condições e variáveis existentes e como poderíamos melhorar o processo no futuro.

As regras básicas para essas sessões eram abrir o jogo sem rodeios, e que não restasse ressentimentos em face de nenhum comentário. Eu encorajava as pessoas a questionar ou criticar qualquer um do grupo; o marinheiro mais moderno podia criticar o comandante. E eles certamente me pegavam nessa. Um marinheiro me disse:

— Comandante, hoje a sua maneira de conduzir o navio foi péssima e nos fez trabalhar dobrado.

Que horror, você poderá dizer. O que aconteceu com os bons comandantes e os seus navios sob controle? Seria um caso para a aplicação da chibata*. Mas marinheiros intrépidos ganham guerras; e marinheiros intimidados saem perdedores. A exemplo da maioria dos empreendimentos, na Marinha não existe gordura. Não gostamos mais de ter pessoas sobrando para fazer corpo mole. Precisamos cumprir as nossas missões com recursos limitados. A única maneira de fazer isso é com uma organização impiedosamente eficiente. E se eu estivesse promovendo trabalho desnecessário, então queria saber disso. Se a tripulação tivesse um problema com o que eu estava fazendo, eu queria que os meus marinheiros me dissessem, para que eu pudesse reparar o erro ou explicar por que precisava fazer as coisas daquela maneira, expandindo assim o conhecimento de todos sobre as limitações ou exigências a que eu me encontrava sujeito.

Quando as pessoas me viam aberto a críticas, elas se abriam também. Foi assim que fizemos melhoras incríveis. As pessoas pensavam em sintonia. Eram capazes de trabalhar juntas em nome do melhor possível para o *Benfold*. O resultado? Jamais cometemos o mesmo erro duas vezes, e todos os envolvidos tinham uma noção do quadro geral.

Para ser honesto, quando comecei o meu novo modelo de liderança, estava um pouco ansioso quanto às suas conseqüências sobre a disciplina militar. Acima de tudo, quando você solta as pessoas da prisão, não faz idéia de como elas reagirão à liberdade recém-conquistada. Eu ficava sempre atento aos sinais: estaria realmente apenas criando anarquia? Mas acon-

---

* Chibata é um chicote que era usado a bordo para punir os marinheiros. (N.R.)

teceu exatamente o contrário. Para o meu contínuo assombro, a disciplina na verdade melhorou sob o meu regime.

Durante os meus últimos doze meses no comando, tive muito menos casos disciplinares do que o meu antecessor. Com uma exceção, nunca demiti ou rebaixei ninguém. A única exceção foi um marinheiro que fora pego fumando maconha antes da minha chegada. Quando vieram os resultados dos exames de urina dele, não tive escolha a não ser mandá-lo embora; a sentença era obrigatória na ocasião.

Correspondentemente, houve uma queda impressionante nos casos de indenizações de trabalho, o que muitas vezes é uma maneira fácil entre os marinheiros descontentes de serem mandados para o hospital; as baixas por motivo de segurança quase se extinguiram (fomos de 31 para apenas duas). Quando as pessoas se sentem donas da empresa, elas trabalham com mais cuidado e devoção. Elas querem fazer as coisas certo da primeira vez, e não sofrem acidentes ao procurar atalhos para economizar tempo.

Antes, as pessoas faziam o possível para deixar o navio. Agora, elas se esforçavam para permanecer a bordo. Esse tipo de desejo se traduz em desempenho. Estou absolutamente convencido de que, com uma boa liderança, a liberdade não enfraquece a disciplina — ao contrário, a fortalece. Dar liberdade às pessoas é um forte incentivo para que elas não cometam erros.

CAPÍTULO CINCO

CRIE UM CLIMA DE CONFIANÇA

Depois de estabelecer os termos do novo contrato social com os seus trabalhadores, os líderes precisam ter a coragem de forçar o reconhecimento dos erros. A melhor maneira de manter um navio — ou qualquer empresa — no rumo do sucesso é dar às tropas toda a responsabilidade que esteja ao alcance delas e então ficar observando. A confiança é uma maravilha humana — não só sustenta o contrato social, mas também é o hormônio do crescimento que transforma marinheiros inexperientes em companheiros de navio experientes e empresas em dificuldades em fortes concorrentes.

Mas a confiança é como uma arte marcial: você precisa fazer jus a ela, e você só faz jus à confiança ao concedê-la. Eis aí uma dura lição que tive de aprender.

NUNCA INSTIGUE UM CÃO A LUTAR CONTRA OUTRO CÃO.

Quando assumi o comando do *Benfold*, encontrei desconfiança em todo o navio. Na Marinha, a competição para ser nomeado comandante de um navio é feroz, e os quatro chefes de departamento do *Benfold* competiam para conseguir a posição hierárquica mais alta. Esse relacionamento carregado de antagonismo permeia o sistema inteiro e envenena o clima geral. Ele divide a tripulação em facções, corrói a confiança mútua e reduz a prontidão para o combate. Na minha formação, nunca descobri por que os meus oficiais comandantes toleravam isso. Na minha vida pessoal, não entendo por que os diretores de empresas agem da mesma maneira. As disputas e as posturas contrárias internas não contribuem com nada para os resultados desejados.

Uma das primeiras coisas que fiz foi dizer aos quatro chefes que o futuro deles na Marinha dependia do sucesso global do *Benfold*. Disse-lhes que teriam de acreditar que receberiam pontos de premiação nas comissões de seleção se trabalhassem em conjunto para transformar o *Benfold* no melhor navio de guerra da Marinha. Juntos, era nadar ou afogar-se. Não é bom ter o melhor departamento de armamento da Marinha se o departamento de máquinas não consegue fazer os motores funcionar e nos levar para a batalha. Todos os quatro tinham passado pelo processo de seleção para o cargo de imediato e também estavam cotados para o comando de um navio. Um deles, o capitão-de-corveta John Wade, de Long Island, Nova York, deixou o *Benfold* e recebeu imediatamente o comando de um navio-patrulha, o USS *Firebolt*. O *Firebolt* havia encalhado quando sob os cuidados do antecessor de John. Usando o método aplicado no *Benfold,* em um ano John tirou o *Firebolt* da posição de pior dos sete navios do seu esquadrão para transformá-lo no melhor navio. Acabou recebendo o cobiçado Prêmio de Eficiência em Batalha pelos feitos da sua tripulação. Outro aspecto maravilhoso da boa liderança é que você deixa um legado, e os seus sucessores, como John Wade, continuam influenciando outros, que se espalham por toda a organização.

Quando os chefes de departamento desistiram da sua guerra particular e concentraram-se no objetivo global, o seu pessoal começou a confiar mais em si e nos outros e parou de questionar os motivos. As pessoas começaram a se comunicar entre si. Elas passaram a se ajudar mutuamente toda vez que um departamento estivesse em dificuldades. Acabou a idéia de grupos unidos entre si — tudo passou a ser feito em benefício do coletivo. A confiança é como uma conta no banco — você precisa continuar fazendo depósitos se quiser que ela cresça. Ocasionalmente, quando as coisas dão errado, você faz uma retirada necessária. Nesse meio-tempo, ela fica no banco rendendo juros.

Quando toda a empresa ganha, todo mundo ganha. Ninguém precisa ser um perdedor — essa construção é falsa.

ATÉ MESMO A PIOR FALHA PODE SER SUPERADA.

Para os oficiais e praças de carreira, a política da Marinha é subir ou sair. Você não pode ficar parado: ou satisfaz às exigências para a promoção ou é encorajado a sair. À primeira vista, esse pode parecer o melhor caminho para eliminar os desajustados e ter uma corporação fortalecida, mas os grandes talentos nem sempre se encaixam nos moldes da Marinha. Às vezes, o sistema produz conformidade à custa da competência, e os que demoram muito a mostrar as suas habilidades são despedidos cedo demais. A Marinha não pode tolerar esses resultados — já é bastante difícil reter os bons oficiais e praças que *de fato* se encaixam no molde.

Pouco tempo depois de partirmos de San Diego para o Golfo Pérsico, o meu comodoro me ligou para relatar que o nosso navio irmão tinha demitido um dos seus oficiais subalternos por considerá-lo incompetente. O almirante de três estrelas que comandava em San Diego disse ao meu comodoro para encontrar um lugar para o rapaz e ver se ele poderia ser recuperado. Tínhamos uma necessidade desesperada de oficiais porque muitos estavam saindo.

No dia anterior à nossa partida para as manobras, o *Benfold* recebeu o oficial para um período de experiência. Ele se chamava Elliot, e sem muita dificuldade descobri que estava entre os mais talentosos oficiais de marinha que eu já tinha conhecido. Conhecia todos os manuais e era capaz de recitá-los de cor, além de saber em detalhes procedimentos complexos, como de que maneira encontrar submarinos inimigos. Sabia mais do que alguns dos meus chefes de departamento, embora tivesse apenas 23 anos de idade e mal tivesse saído da Escola Naval.

O problema de Elliot basicamente era o seguinte: parecia ter pouca autoconfiança, e em conseqüência disso atraía aqueles que sentiam prazer em provocá-lo ou diminuí-lo. Os antigos companheiros de navio sentiram o cheiro de sangue e não tiveram clemência, ridicularizando-o diariamente. O comandante não ajudara a corrigir a situação. Segundo a minha maneira de pensar, nada é mais triste do que as pessoas que tentam aparecer à custa de diminuir os outros. Os efeitos sobre Elliot, ainda que não incomuns, foram devastadores: como uma reação aos maus-tratos, ele principiou a hostilizar os outros, talvez para tentar provar a si mesmo que tinha algum controle e poder.

Eu fiquei muito impressionado com ele. Disse-lhe que a tripulação do *Benfold* vivia e trabalhava de acordo com o Preceito Áureo. Confiávamos que todo mundo seria tratado com dignidade e respeito, e esperávamos não menos dele e em relação a ele. Ninguém iria menosprezá-lo e, é claro, ele nunca deveria ridicularizar os outros. E eu autorizei o suboficial supervisor da divisão dele a recordá-lo dessa conversa se fosse necessário.

Ajudando-o a reconhecer os seus pontos fortes, nós o curamos e ficamos com um vencedor. Elliot revelou-se um dos meus melhores oficiais. É verdade que ele exigiu muito mais tempo e atenção do meu pessoal do que outros oficiais, mas os meus esforços foram bem investidos. Quando se tratava de localizar submarinos e enfrentá-los, por exemplo, ninguém se comparava a ele. Acima de tudo, ele aprendeu a sentir prazer em ajudar os outros a reconhecer os próprios pontos fortes, em vez do contrário. Fiquei imensamente satisfeito com as contribuições que ele nos deu e certamente feliz por tê-lo conosco, mas nunca deixei de me sentir impressionado, senão surpreso, com o fato de que o navio anterior dele tivesse ignorado a sua capacidade.

Elliot acabou se qualificando como oficial de quarto, o que recuperou a sua carreira. Ele passou por uma outra transferência na Marinha, então decidiu ir para a faculdade de administração e negócios. Deu baixa com a cabeça erguida, um registro de recuperação e a confiança que acompanha a capacidade de liderar as pessoas, um talento que o recompensará imensamente enquanto trilhar a jornada da liderança.

O meu trabalho com Elliot produziu um benefício importante e inesperado. Por meio dele, passei um sinal fundamental para o restante da tripulação: "Vocês podem falhar, mas nós acreditamos na sua recuperação. Vamos ajudar vocês e não desistir". Os líderes e gerentes precisam compreender que os seus subordinados estão sutilmente afinados com as suas ações e reações. Se os seus funcionários perceberem que você desistiu de alguém, imediatamente entenderão que não há lugar para se corrigir, e que podem vir a ser os próximos da lista. Se perceberem que você intervém em socorro de alguém que vale a pena, vão se sentir seguros. Por mais que o processo seja cansativo e desgastante, será melhor para você se as pessoas se sentirem mais seguras, e mais propensas a correr riscos, com uma atitude positiva em relação à organização. Adivinhe quem ganha mais com isso? Você.

TRATE BEM O PORTADOR
DE MÁS NOTÍCIAS.

É fundamental que os líderes não tratem mal os portadores de más notícias. Um chefe que age assim não vai conhecer os futuros problemas até que eles estejam fora de controle. Não se trata de uma figura de retórica dizer que pode ser uma questão de vida ou morte criar um clima de confiança no qual as pessoas não tenham medo de dar notícias que sabem que você não quer ouvir.

O *Benfold* e outros navios como ele são estruturas incrivelmente complexas, dotadas da tecnologia mais sofisticada, que é atualizada a cada avanço técnico. Os engenheiros civis das empresas que constroem as máquinas, normalmente grandes empresas terceirizadas de equipamentos de defesa, fazem esse trabalho. Eles instalam os equipamentos; depois nós sentimos os resultados.

AEGIS (ou "égide", do grego *aigís*) é o nome original do sistema de controle de lançamento de mísseis em navios como o *Benfold*. Na mitologia grega, significa o escudo feito por Zeus com a cabeça da Medusa. Hoje em dia, entre nós, significa o "escudo da esquadra".

Antes de suspender de San Diego, os engenheiros do AEGIS instalaram uma atualização que era para tornar o sistema mais confiável. Na verdade, ele se tornou menos confiável uma vez que os diversos módulos de energia dentro do radar começaram a entrar em curto-circuito. Quando ocorrem problemas dessa natureza, os sargentos do navio (que as empresas fornecedoras consideraram, erroneamente, incapazes de operar o novo equipamento) são os primeiros a receber a culpa.

Considerando que o *Benfold* estava entre os primeiros navios a receber a atualização, e considerando que descobrimos o problema antes de mais ninguém, os engenheiros presumiram que *nós* éramos o problema. Mas começamos a rastrear os outros navios atualizados e logo descobrimos que eles estavam com o mesmo problema, mas não diziam a ninguém sobre o que estava acontecendo. Enviei uma mensagem urgente para o meu comodoro em San Diego, informando-o de que a atualização estava reduzindo a prontidão para o combate dos navios.

Eu não fazia idéia de como ele reagiria, porque mal começáramos o nosso relacionamento. Quando assumi o comando, ele acabara de partir para uma operação de seis semanas contra o tráfico de drogas na América do Sul, então fiquei seis semanas no meu posto sem tê-lo conhecido. Ele me telefonou quando precisou me passar o meu primeiro relatório de aptidão oficial. Ele me classificou como o sexto dos seis, o que não me surpreendeu, uma vez que eu era o mais novo dos seis. Mas para o que eu não estava preparado era que a única coisa consistente que ele escreveu sobre mim foi que eu estava qualificado para manter a minha prontidão de segurança. Era uma afirmação peculiar, mas não fiquei aborrecido, porque estava mais preocupado com os resultados do que o reconhecimento e tinha confiança de que logo, logo os resultados se materializariam.

Fiquei aliviado e satisfeito de que o comodoro se esforçasse para alertar a todos que precisassem saber sobre o problema com o AEGIS. Quando precisei dele para me ajudar quando a nossa prontidão para o combate ficou prejudicada, o meu chefe me deu todo o apoio. Os engenheiros do AEGIS foram chamados quase imediatamente.

Você nunca deve levar os problemas secundários ao conhecimento do seu chefe se for capaz de resolvê-los sozinho. Mas, em situações críticas como essa, observei o contrário. Faça-o saber o quanto antes. As más notícias não melhoram com o tempo. Quanto mais você espera, menos tempo o seu chefe tem para ajudar você a encontrar uma solução. O segredo é estabelecer a sua credibilidade não sendo o gerente que dá um alarme falso. Foi porque eu nunca me queixei de pequenos problemas que fui ouvido quando apareceram problemas urgentes. Também fiz a minha lição de casa, assim, quando apresentei o problema, tive todos os fatos para sustentar as minhas alegações.

Dito isso, deixe-me acrescentar que um bom chefe é sempre uma bênção.

Logo depois do incidente com o AEGIS, tivemos um problema mais grave. Os navios da Marinha precisavam operar em qualquer clima, de um calor acima de 50 graus no Golfo Pérsico até abaixo de zero no Atlântico Norte. Em baixas temperaturas, o combustível pode congelar, então os navios são equipados com aquecedores de serviço do óleo combustível para manter o combustível em estado líquido. Considerando que o *Benfold* poderia precisar operar em climas frios, era-nos exigido manter esses aquecedores em ordem, para o caso de serem necessários.

Encontrávamo-nos em Cingapura para cinco dias de folga para descanso quando, numa inspeção de rotina nas instalações da praça de máquinas, um dos meus marinheiros notou um gotejamento de combustível do aquecedor de serviço do óleo combustível sobre uma peça muito quente. Isso era extremamente perigoso; o combustível gotejante poderia incendiar-se, transformando-se num incêndio de grandes proporções, que destruiria toda a praça de máquinas. Bloqueamos o combustível em todo o navio e começamos a investigar. Descobrimos que as vibrações do navio em movimento na água haviam rompido as juntas dos aquecedores de serviço.

Enviei mensagens ao meu comodoro e ao almirante imediatamente, relatando que por pouco evitamos um desastre graças ao alerta de um tripulante. Temendo que esse defeito pudesse estar presente em outros navios equipados com esses mesmos aquecedores de serviço, recomendei que todos os navios fossem inspecionados. O meu comodoro queria me apoiar, mas esse era um problema enorme, e ele precisava ter certeza de que eu sabia sobre o que estava falando. Assim, enviou uma mensagem ao comandante de um navio irmão, dotado dos mesmos aquecedores, e perguntou se ele notara o mesmo problema. O comandante, um maquinista de formação, respondeu de má vontade que eu estava exagerando, e que não via a necessidade de ter despesa nenhuma para corrigir o problema.

Em seu próprio benefício, o comodoro não aceitou essa resposta. Inspecionou outros contratorpedeiros da classe Arleigh Burke, que por acaso estavam no porto no momento, e descobriu que alguns apresentavam o mesmo vazamento do *Benfold*, mas nenhum o havia notado ainda. Ironicamente, ele inspecionou pessoalmente até mesmo o nosso navio irmão quando este retornou ao porto, e encontrou o mesmo problema. Então, imediatamente informou o almirante de três estrelas que todos os contratorpedeiros da classe Arleigh Burke estariam correndo riscos enquanto os vazamentos não fossem consertados.

O *Benfold* ganhou fama por chamar a atenção para esse desastre potencial. Como eu disse, você nunca se engana quando faz a coisa certa. O que me deu coragem para tomar a iniciativa foi o fato de o meu comodoro ter-me apoiado no problema do AEGIS. Considerando que ele me levara a sério uma vez, confiei que levaria de novo.

Imediatamente, recompensei o marinheiro que descobriu o vazamento com uma medalha. Embora devesse passar pela burocracia para a aprovação, pensei que era mais importante deixar claro que qualquer um que fizesse um serviço pelo navio seria reconhecido imediatamente. Se você espera pela burocracia, antes de tudo as pessoas vão se esquecer por que estão sendo reconhecidas. Aquele rapaz salvara o meu navio, e eu queria recompensá-lo enquanto era tempo e fazia diferença.

Isso levanta uma questão importante: quando você deve quebrar as regras?

A burocracia pode servir a objetivos convenientes. Por exemplo, uma burocracia pode retardar a implementação de uma idéia ruim, ao propiciar àquele que tomou a decisão mais tempo para refletir. No entanto, com muita freqüência, a burocracia cria regras e então esquece para que ela é necessária antes de mais nada, ou não é capaz de perceber as razões para não atrapalhar.

Quando se trata de eliminar regulamentos obsoletos, a burocracia é esclerótica. No mundo acelerado em que vivemos, as regras devem ser tratadas como diretrizes, não como leis imutáveis, a menos que realmente sejam decisivas. Se as regras não forem decisivas, acredito que o meu chefe iria querer que eu usasse o bom senso e fizesse a coisa certa, independentemente dessa diretiva, porque existem áreas nebulosas.

As áreas nebulosas, na realidade, são um motivo pelo qual precisamos de gerentes de nível médio. Se tudo fosse preto no branco, as empresas precisariam apenas de diretores-executivos para fazer as regras e trabalhadores para executá-las sem perguntas. Os gerentes de nível médio deviam ser aqueles que ocupam as áreas nebulosas e dão orientação. Quando interpretei as regras com liberalidade, estava seguro de que não colocaria a empresa em risco se cometesse um erro. Quando conferi mais medalhas do que estava autorizado a fazer, simplesmente usei o meu julgamento para aproveitar ao máximo a situação em questão. No fim, a burocracia nunca objetou. E se tivesse objetado, a grande mídia teria aprovado, uma vez que as minhas decisões estavam beneficiando o meu pessoal, não a mim.

PROTEJA O SEU PESSOAL CONTRA OS CHEFES LUNÁTICOS.

Alguns chefes são impiedosos, ainda que eficazes, e você não tem outra escolha a não ser suportá-los, até que eles se destruam sozinhos ou se aposentem. Outros, contudo, são muito piores e não devem ser tolerados: eles são autocratas que beiram a loucura. Se na vida civil o poder corrompe, na vida militar pode destruir. Isso acontece quando alguém numa posição de autoridade deixa de ser simplesmente o responsável e se sente onipotente, podendo colocar todos em perigo. Um oficial ou gerente é praticamente responsável por proteger o seu pessoal de alguém com esse tipo de problema.

Reconheço plenamente que proteger o seu pessoal de um superior é terrivelmente doloroso e requer coragem moral, mas se o perigo é claro e presente, deixar de agir representa covardia moral.

Para mim, esse assunto não é simplesmente acadêmico. Durante épocas diferentes, trabalhei para dois oficiais mais antigos. Um não parecia estar preocupado com o sucesso da tripulação, muito embora comandasse um bom navio, porque o seu estilo de liderança era para rebaixar, e isso nos impedia de ser melhores. Embora eu quisesse dizer a ele que esse comportamento não o levaria a lugar nenhum, não tinha coragem. O outro oficial ridicularizava os seus oficiais e questionava os seus motivos, o que acabava com a iniciativa deles, assim como a união e o objetivo que fazíamos o maior esforço para criar.

Quando chegou o momento de me posicionar e defender esses oficiais vulneráveis — bem, eu fiquei paralisado pelo medo de ser prejudicado. Eu sempre olho para trás e considero esses fatos como uma oportunidade desperdiçada de liderança, e fico envergonhado por não ter proporcionado uma parede de proteção entre o comandante e os seus oficiais.

Essa é uma das situações mais traiçoeiras e delicadas em que um administrador pode se encontrar. Por um lado, você deve apoiar o chefe — qualquer empresa, assim como a Marinha americana, espera lealdade como um dever de ofício. Por outro lado, você deve de alguma maneira ajudar a minimizar o dano que esse comportamento produz ao bem-estar do navio ou do interesse comum da empresa. Não há uma solução fácil.

Finalmente, aprendi a controlar aquele oficial. Eu sabia o que provocava a raiva dele; então, sempre que precisava dar más notícias, fazia-o em particular, quando o seu palavreado e irritação não cairiam sobre os outros e eu suportava o choque. Quando alguém fazia um trabalho exemplar, eu me assegurava de que ele tomasse conhecimento; quando alguém falhava, eu assumia a responsabilidade pelo erro. Nem sempre tinha sucesso em proteger o meu pessoal. Foi uma fase dolorosa, e não me sinto especialmente orgulhoso das minhas ações. Poderia ter feito mais pelos oficiais subalternos, muitos dos quais deixaram a Marinha. Contudo, aprendi muita coisa sobre como lidar com chefes insuportáveis. Essa é uma habilidade fundamental.

SER O MELHOR ACARRETA RESPONSABILIDADES.

O preço de ser o navio com que todos contam é que você geralmente recebe as tarefas mais difíceis, uma honra que algumas vezes parece duvidosa. O *Benfold* tornara-se o maior bem americano na crise do Oriente Médio. A Marinha nos considerava tão competentes com os mísseis *Tomahawk* que fomos carregados com muito mais do que qualquer outro navio. O lado ruim era que tínhamos de permanecer continuamente no mar. A maioria dos navios fica fora por três semanas no máximo e então se retira para uma folga de três dias para a tripulação relaxar, tomar uma cerveja e telefonar para casa. Nós, não. Tínhamos criado tanta confiança na nossa confiabilidade que éramos vítimas do nosso próprio sucesso.

Muito tempo depois, fiquei sabendo por meio de um amigo no Pentágono que, quando os nossos cem dias no golfo finalmente terminaram, o Secretário de Defesa William Cohen em pessoa parece ter perguntado se era aconselhável deixar que fôssemos embora. Ele não se importava em trocar dois porta-aviões e uma frota inteira de outros navios — mas o *Benfold*, com os seus mísseis cruzadores, constituía uma classe por si só.

Durante o ponto alto da crise, passamos 35 dias seguidos no mar. Por volta do vigésimo quinto dia, ficamos sem ter o que conversar no jantar. As pessoas simplesmente comiam, levantavam-se e pareciam taciturnas. A monotonia deixou todo mundo desanimado. Comecei a me sentir deprimido, e quando um líder está deprimido toda a organização entra no mesmo clima.

Decidi que precisava melhorar o ânimo de todos. Reuni a tripulação no convés de vôo e disse em poucas palavras: "Sei que este está sendo um período arrastado aqui, e que os marinheiros dos outros navios estão desfrutando as suas folgas enquanto vocês estão trabalhando. Existe um motivo para isso. A Marinha considera o *Benfold* — e vocês, pessoal, constituem o *Benfold* — o navio mais essencial no golfo, o único com que não pode deixar de contar. Muito simplesmente, somos os melhores. E ser o melhor traz consigo responsabilidades. Obrigado por terem chegado a esse ponto".

Até mesmo eu fiquei surpreso: a tripulação sorriu. Todos aceitavam a minha explicação e estavam orgulhosos. O moral deu uma virada impressionante. Acompanhando as variações no humor, observei que cerca de 60 por cento da tripulação estava na verdade desapontada quando finalmente entramos no porto. Eu garanto que alguns deles estavam cientes de que, se você permanece 45 dias fora, merece duas latas de cerveja, o que àquela altura teria o sabor de champanhe, mas acho que o orgulho era uma motivação mais importante.

Aquele orgulho passou por uma tensão ainda maior duas semanas depois. Mas foi novamente mantido, e o *Benfold* foi recompensado por isso.

O grande momento finalmente chegara. Terminamos o nosso centésimo dia no golfo e rumamos para casa. Não só fizéramos um ótimo trabalho, mas também escapáramos de ferimentos graves ou mortes. Não disparamos nenhum dos nossos *Tomahawk* com raiva, embora tivéssemos passado vários dias esperando a ordem de lançamento para fazer desaparecer os locais onde Saddam Hussein produzia armamentos. Toda vez que estávamos a cerca de cinco minutos do lançamento, éramos informados para esperar — o Secretário-Geral das Nações Unidas estava de novo prestes a negociar um acordo de paz. A minha tripulação ficava profundamente desapontada por não termos ainda lançado os nossos mísseis. Não há nada como o surto de adrenalina que acompanha o momento em que esses armamentos extraordinariamente potentes são lançados. Todo o navio estremece e chacoalha até o extremo. O seu coração bate mais rápido enquanto você observa, em circuito fechado de televisão, enquanto aquelas espadas de 1 milhão de dólares desaparecem de vista no rumo que você estabeleceu. Todas as horas de treinamento e preparação para fazer o que o seu país espera de você resumem-se naquele momento exato. Honra e glória esperam por você — provavelmente até mesmo outra medalha para o seu peito.

Então era absolutamente devastador ter os mísseis programados e alimentados e o seu dedo no botão, e então ser informado: "Esqueçam". O desapontamento era palpável. As pessoas sentiam-se desmoralizadas. Era como quando a Luci segurava a bola de futebol para o Charlie Brown e então a puxava no último minuto. Notando a decepção que se espalhava rapidamente pelo navio, eu sabia que precisava agir depressa ou seria mais difícil apressá-los na próxima crise. Eles poderiam começar a imaginar por que nos incomodávamos em manter o nosso equipamento e a nossa capacidade nos níveis máximos de desempenho se não teríamos a permissão de usá-los.

"Você precisa agir depressa", eu pensava. Não tinha idéia sobre o que fazer. Em momentos de desespero, pegava o microfone para me comunicar. O seu pessoal quer ouvir da chefia que tudo vai ficar bem no final das contas. Eu ia para o sistema de alto-falantes e dizia ao pessoal que compreendia o seu desapontamento, mas estávamos estacionados e preparados. Tínhamos forçado Saddam a retornar à mesa de negociações. Então realmente tivéramos sucesso na nossa missão. Em razão do profissionalismo da tripulação, conseguíramos manter a paz. E adivinhe. O bom humor voltava. A minha tripulação recuperava o orgulho e o espírito de equipe porque fizera o que esperavam dela. Em momentos de perigo, o pessoal sempre se volta para o sujeito que está no comando e espera uma orientação. Na verdade, um dos aspectos menos compreendidos da Marinha é que, em qualquer dia do ano, mais de 50 por cento dos nossos navios estão no mar, seja para manter esse estado de intimidação, seja se preparando ou aprimorando as suas qualificações para estarem prontos quando necessário.

Como todos sabemos, nunca se concluiu um acordo com Saddam. Mas a nossa presença e prontidão forçou-o a negociar. Verdade seja dita, senti-me secretamente grato por não termos recebido a ordem de disparar. Apesar de toda a precisão e confiabilidade, aqueles mísseis poderiam se desviar do curso e matar civis inocentes — uma possibilidade que eu considerava muito provável.

Às 7h55 da manhã de 2 de janeiro de 1998, levantamos âncora de Bahrein para a viagem de volta para casa. Toda a tripulação estava alegremente concentrada na nossa primeira parada programada: Austrália, um país que recebe bem os marinheiros americanos, talvez mais calorosamente do que qualquer outro lugar da Terra. O fato de não termos recebido permissão para disparar era agora uma lembrança distante. Estava todo mundo empolgado. Eu até me encontrei com os navios-tanques que fornecem combustível para a esquadra no meio do oceano para podermos fazer uma viagem direta, uma ocorrência bastante incomum naqueles dias em razão dos cortes de orçamento.

Mas nem bem a amarra* estava em segurança recebemos uma ligação do comodoro encarregado das operações de busca e captura no golfo, o comodoro Mike Duffy. Que esse Duffy era uma pessoa difícil era algo sobre o que os outros comandantes concordavam. Ainda assim, acabei por compreendê-lo. Ele era extraordinariamente exigente e mantinha você responsável pelo seu desempenho. Em todo o transcurso de uma centena de dias, ele chegou a adorar o *Benfold*, porque nós oferecíamos resultados. Eram os navios que não faziam o mesmo que o odiavam.

Percebi na hora: o *Benfold* estava sendo destinado a outro trabalho de confiança. Quem tem fama deita na cama. Àquela altura, na verdade eu estava desejando que não fôssemos tão bons, assim poderíamos descansar.

— Um navio levando contrabando está se encaminhando para a costa iraniana — disse o comodoro. — Fiquei sem navios disponíveis para segui-lo. Você poderia se encarregar disso?

Todo mundo na ponte do *Benfold* ouviu a ligação, porque os alto-falantes do rádio estavam ligados. Todos olharam para mim. Acredito que um palavrão esboçou-se nos meus lábios. Algumas testemunhas mais tarde diriam que eu o pronunciei várias vezes (em respeito à minha mãe, preciso deixar registrado que não aprendi aquele linguajar em casa). Tínhamos cumprido a nossa tarefa e agora estavam pedindo que fizéssemos tudo de novo. Não era justo — especialmente quando se considera que os outros dois navios, o *Gary* e o *Harry W. Hill*, que juntos não tinham dado um décimo da nossa contribuição, seguiam a caminho da Austrália.

— Comodoro — disse eu —, o *Benfold* é o seu navio. Vamos fazer isso.

O coração da minha tripulação parou. Não havia mais divertimento em Mudville.

— Isso deve tomar apenas dois dias, talvez menos — afirmou o comodoro. — De que velocidade vocês precisam para descontar o tempo perdido para chegar à Austrália?

A nossa velocidade de cruzeiro era de 16 nós para economizar combustível; apenas um motor era necessário naquela marcha. Simplesmente, sem pensar, eu disse 24 nós, o que exigiria dois motores queimando o dobro de combustível.

---

* Amarra é uma corrente de elos especiais reforçados que prende a âncora ao navio, para mantê-lo fundeado. (N.R.)

— Garanto que vocês vão receber o combustível adicional para os seus 24 nós. — Essa afirmação significava que o comodoro fazia de tudo para cuidar de nós. Naquele momento, Mike Duffy era o meu herói.

A tripulação sorriu. Eu sorri. Sabia que, se tivesse apresentado alguma resistência, Duffy não nos daria o combustível adicional.

Saímos para o mar e fomos no encalço do contrabandista nas imediações da costa iraniana. Logo um navio de guerra britânico juntou-se a nós, mas o navio trapaceiro manobrou para navegar nas águas de Dubai, onde estávamos impedidos de perseguir contrabandistas. Poderíamos tê-lo parado disparando tiros de advertência, mas havia muitos outros barcos de pesca ao redor e eu não queria correr o risco de ferir civis inocentes. Pedi ao comodoro por um helicóptero para ajudar a perseguir o contrabandista, mas o único disponível estava pousado no *Gary* — que de saída se recusou a compartilhá-lo porque achava-se na rota para a Austrália. Pensei que provavelmente o helicóptero poderia alcançar o navio depois de nos ajudar, sem atrasar significativamente o *Gary*. O comodoro Duffy exigiu a aeronave, ordenando asperamente ao comandante do *Gary* para enviá-lo para nós.

Senti-me totalmente melhor por ter assumido a missão de perseguição sem pestanejar, não importa quão relutante eu me sentia na ocasião, muito embora, em última análise, fosse uma missão mal-sucedida. Ajudar o chefe quando ele precisa muito de você é um ótimo investimento.

Nós finalmente atravessamos o oceano Índico em 3 de janeiro, um dia apenas depois do programado, e demos entrada em Fremantle, na Austrália Ocidental, em 11 de janeiro. As nossas ordens eram de dez dias de estada no porto da maravilhosa Terra de Oz, mas concluí que ninguém conferiria o nosso trajeto, então parei num posto de abastecimento entre os portos, e consegui aumentar a nossa estada para doze dias em terra. Desperdiçamos alguns dólares dos contribuintes em excesso de combustível, mas o retorno do investimento, em termos de moral da tripulação, mais do que compensou os gastos.

CONFIANÇA TAMBÉM DÁ DINHEIRO.

Em 1994, quando eu era o imediato do *Shiloh,* saí com alguns amigos para comer num restaurante em Coronado Island, do outro lado da baía de San Diego. Enquanto esperávamos no bar pela nossa mesa, comecei a conversar com um cavalheiro mais velho, chamado Irv Refkin. Fiquei sabendo que a esposa dele acabara de morrer, aos 47 anos, e ele estava se sentindo muito sozinho. Convidei-o a nos acompanhar no jantar. Temos sido bons amigos desde essa ocasião.

Em 1997, quando estava de volta a San Diego, preparando-me para assumir o comando do *Benfold,* Irv e eu saíamos para jantar uma ou duas vezes por mês. Ele era dono uma oficina de reparos de embarcações com cerca de 75 funcionários. A empresa providenciava a manutenção nos navios da Marinha, assim como alguns trabalhos comerciais em bombas, motores, interruptores de circuito e assim por diante. Era uma empresa muito bem-sucedida na sua especialidade.

Perguntei ao Irv qual era a sua filosofia de trabalho. Ele disse que preferia um aperto de mãos a um contrato, que construíra uma boa reputação e tratava os funcionários com respeito e dignidade. Ele resumiu:

— Confiança dá dinheiro.

Pedi-lhe um exemplo.

— Relógios de ponto — respondeu ele.

Explicou que instalara relógios de ponto para controlar os funcionários quando era a moda. Então pensara melhor. Aquilo não demonstrava falta de confiança? Acabara com aqueles relógios de ponto. Em conseqüência disso, o seu pessoal não só trabalhava todos os dias em período integral sem faltas, mas também a maioria trabalhava mais do que oito horas — sentiram-se dignos de confiança.

Em seguida, Irv passou para as ferramentas. O gerente-geral dele lhe dissera que precisavam de uma sala de ferramentas para assegurar que os funcionários não furtassem as ferramentas. Irv, então, contratara um almoxarife para cuidar das ferramentas por cerca de 35.000 dólares por ano. Um dia ele chegou mais cedo e encontrou uma longa fila de funcionários esperando para receber as ferramentas. À noite, havia outra fila para devolvê-las. Essa falta de confiança estava custando caro a ele. Então, ele acabou com o almoxarifado de ferramentas, transferiu o almoxarife para outra tarefa e no ano seguinte tinha gasto apenas 2.000 dólares em ferramentas que haviam sido furtadas ou perdidas. Uma vez mais, a confiança era uma maneira de ganhar dinheiro.

A confiança dele estendia-se também aos clientes — e era recíproca. Se um almirante precisasse de um reparo imediato, Irv dispensava as negociações e contratos e partia para o trabalho. A oficina dele tornara-se um arsenal confiável no meio náutico quando se precisava que algo fosse consertado de imediato, a um bom preço e sem atrasos.

A história de Irv Refkin não pára por aí. Depois que assumi o comando do *Benfold,* convidei-o a vir a bordo para uma visita. Os meus marinheiros estavam carregando a provisão de alimentos. Os alimentos chegam em grandes caixas e forma-se uma cadeia humana para passá-las do píer para o navio e depois para os compartimentos de estocagem. É um trabalho muito cansativo, e o pessoal podia sofrer ferimentos. Aquela era a primeira vez que Irv via a operação.

— Depois de 225 anos no negócio — disse ele — era de se pensar que a Marinha encontrasse um método melhor de fazer esse trabalho.

De volta para a sua oficina, Irv pediu a um dos seus funcionários para projetar uma esteira transportadora para carregar as caixas automaticamente. Umas duas semanas depois, o protótipo estava terminado. O resultado: Irv tem agora um contrato com a Marinha para carregar as mercadorias nos navios com a sua esteira transportadora.

Ele teria preferido um aperto de mãos, é claro, mas eles pediram que colocasse tudo por escrito. A confiança da Marinha ainda não chegou aos níveis da de Irv.

CAPÍTULO SEIS

BUSQUE RESULTADOS, NÃO ELOGIOS

A exemplo dos serviços militares de todo o mundo, a Marinha americana tem uma hierarquia. A hierarquia, o tempo de serviço e a disciplina governam praticamente tudo. A "Pátria dos Oficiais" assinala proibições às praças em todas as partes de praticamente todos os navios.

O mais suavemente possível, procurei afastar-me desse sistema rígido. A etiqueta formal nunca está fora de moda na Marinha, nem estava no meu navio. Quando eu caminhava pelo convés, os marinheiros batiam continência, lançavam saudações e permaneciam em posição de sentido à minha frente, com o corpo empertigado. Prestavam uma homenagem ao oficial, como devem fazer os marinheiros. Mas em pouco tempo aprenderam que eu não estava interessado em lisonjas ou delicadezas. A rigidez se interpõe no caminho da criatividade. Em vez de elogios, eu queria resultados, o que para mim significava conseguir a prontidão para o combate. A maneira de conseguir isso não era ordená-lo de cima para baixo, o que é desmoralizante e esmaga a iniciativa. Eu queria que os marinheiros abrissem a mente, usassem a imaginação e encontrassem maneiras melhores de fazer qualquer coisa. Queria que os oficiais entendessem que idéias e iniciativa poderiam surgir do convés mais inferior tanto quanto a força e a obediência cega. E eu queria que todos no navio vissem uns aos outros como pessoas e companheiros de bordo.

Como comandante, eu estava encarregado de impor 225 anos de regulamentos, políticas e procedimentos acumulados na Marinha. Mas até a última dessas regras estava aberta à negociação quando o meu pessoal encontrasse uma maneira melhor de fazer as coisas. Tão logo uma das suas novas idéias entrava em operação, eu a passava para a cadeia de comando, esperando que os meus superiores as compartilhassem com os outros navios.

Para facilitar isso, eu precisava encorajar a tripulação a tomar a iniciativa — e assegurar que os oficiais recebessem bem as idéias. E isso significava que eles precisavam conhecer-se uns aos outros como pessoas. Precisavam respeitar-se mutuamente, e a partir daí haveria confiança.

AJUDE A DERRUBAR AS BARREIRAS.

Nas tardes de domingo, quando o navio estava no mar, o rancho era servido no convés de vôo, na popa do navio, o qual era para ser usado pelo helicóptero anti-submarino. Um domingo, no início do meu comando, fui para trás observar a refeição. Uma longa fila de marinheiros esperava receber a sua porção. Os meus oficiais tinham precedência para entrar na cabeceira da fila e ser servidos, e então passavam para o convés seguinte para comer sozinhos. Os oficiais não eram más pessoas; eles simplesmente não conheciam outro procedimento. Sempre fora feito dessa maneira.

Observando a cena, decidi entrar no fim da fila. Os oficiais ficaram olhando, curiosos. Eles elegeram o oficial intendente para vir falar comigo.

— Comandante — disse esse oficial, parecendo preocupado —, o senhor não entendeu. Deve ir para o início da fila.

— Está tudo bem — respondi. — Se ficarmos sem comida, serei eu quem ficarei sem.

Continuei na fila e recebi a minha refeição. Então permaneci no convés inferior e almocei com os marinheiros. Os oficias ficaram totalmente alertas. Era quase possível ouvir as engrenagens movendo-se na cabeça deles.

No fim de semana seguinte tivemos outro almoço ao ar livre e, sem que eu dissesse nada a ninguém, os oficiais foram para o fim da fila. Quando receberam a sua parte, permaneceram no convés inferior e acompanharam os marinheiros. Considerando a sociedade basicamente classista da Marinha, dizer que a cena fraternal no convés de pouso era incomum é uma atenuação da verdade. Para mim, pareceu o certo.

Um mês depois de ter assumido o comando, senti que estava fazendo progressos em provar à minha tripulação que me preocupava de verdade com todos e trabalharia para que desenvolvessem o seu potencial. Mas a tripulação sabia que um comandante precisa responder àqueles que estão acima na cadeia de comando e eu sabia que os meus marinheiros esperavam para ver como eu agiria dentro do contexto mais amplo da Marinha. A inovação e a atribuição de responsabilidades terminariam na prancha de embarque do *Benfold*?

Em meados de julho de 1997, tive uma oportunidade de demonstrar a eles. Estávamos num exercício de uma semana para nos prepararmos para o Golfo Pérsico. De novo o *Benfold* navegava ao lado do *Gary* e do *Harry W. Hill*. O oficial mais antigo encarregado desse exercício, um comodoro embarcado no *Hill*, não era especialmente criativo, mas eu o considerava um bom sujeito e um oficial confiável.

Quando o exercício começou, eu me encontrava no centro de informações de combate do navio, onde o rádio de navio para navio soava continuamente com chamadas do comodoro e dos outros oficiais do *Gary* e do *Hill*. Logo compreendi que eu era a única pessoa ali na escuta. Quando pedi uma explicação, disseram que, porque muitas pessoas até então haviam sido advertidas verbalmente de que estavam erradas, ninguém tomava a iniciativa. Esse clima realmente é muito perigoso. Em combate, você pode ter até dez rádios requerendo atenção e passando informações decisivas ao mesmo tempo, e obviamente nenhuma pessoa pode controlar isso. Eu autorizei todos a atender as chamadas e tomar as decisões cabíveis, o que surpreendeu pessoas que nunca tinham recebido esse nível de responsabilidade.

A meio caminho do exercício, o comodoro veio de helicóptero a bordo numa visita para ver como estavam indo as coisas e avaliar o moral da minha tripulação. Ele chegou às 11h00 e nos sentamos na câmara por meia hora. O plano era que ele permanecesse para o almoço e às 11h30 se encaminhasse para a Praça d'Armas.*

— Comodoro — disse eu —, não é lá que estamos almoçando.

Ele me olhou inquisitivamente e perguntou o que eu tinha em mente. Eu lhe disse que fazíamos as refeições na coberta de rancho com a guarnição**. Ele arregalou os olhos.

— Eu não tenho feito nenhuma refeição no rancho há anos — ele observou.

---

* Praça d'armas é o compartimento do navio destinado às refeições dos oficiais. (N.R.)
** A guarnição do navio é constituída pelas suas praças. (N.R.)

— Sim, senhor — concordei. — Mas gostaria que o senhor conhecesse a tripulação, conversasse com os marinheiros. Eles talvez queiram lhe fazer perguntas.

As tripulações se queixam de que, quando um oficial superior ou algum VIP está programado para vir a bordo, todos recebem ordens de limpar ou até mesmo pintar o navio em preparação, mas devem permanecer fora das vistas quando chega o convidado — como se não fossem bons o suficiente para estar na presença de oficiais generais.

Bem, no meu navio, os VIPs *eram* a minha tripulação, e eu queria que os oficiais mais antigos passassem tempo com ela para descobrir como os meus marinheiros eram verdadeiramente talentosos e dedicados. Queria que os superiores começassem a desenvolver o mesmo respeito que eu tinha pelo nosso pessoal. Acompanhei o comodoro à coberta de rancho e direto para o fim da fila, onde aguardamos a nossa vez, como todo mundo. É claro que os meus marinheiros se dirigiram a ele de maneira respeitosa, mas, como já haviam aprendido comigo, com bastante liberdade. Aquilo não passava de uma conversa normal com um colega mais experiente. O comodoro nunca tivera uma experiência dessas e adorou.

Depois de enchermos as nossas bandejas, encontramos lugares em duas mesas separadas. Nesse momento, o comodoro ficou sozinho com os marinheiros. Fizeram-lhe boas perguntas; ele ouviu com atenção e respondeu diretamente. Da minha mesa, eu observava que todos estavam interessados, envolvidos, sorridentes e se divertindo, o que para mim foi ao mesmo tempo gratificante e até certo ponto um alívio. Se o comodoro fosse um oficial excessivamente apegado à disciplina, a experiência teria se convertido num verdadeiro fiasco.

Ao contrário, ele ficou bem impressionado com o calibre das perguntas dos meus tripulantes. Não fazia idéia de que os postos subalternos da hierarquia pudessem lhe ensinar alguma coisa. Mas quando um sargento perguntou-lhe o que ele pensava sobre a "liderança contínua" na Marinha, um novo programa de treinamento para as praças, o comodoro foi pego de surpresa: não sabia nada a respeito do assunto. Considerando que o programa afetava apenas as praças, não os oficiais, ele não vira motivo para se interessar. Agora compreendia, com um choque, que era totalmente ignorante sobre um programa de importância decisiva para 1.500 marinheiros a bordo dos seis navios sob o seu comando. Outro chefe poderia ter ficado ressentido ao ser exposto dessa maneira, mas eu achei que ele se saiu muito bem.

Quando deixamos o salão do rancho e retornamos à câmara, ele disse que aquela fora a experiência mais valiosa que tivera em todo o seu tempo de Marinha. Dali por diante, ele planejava almoçar no rancho da guarnição em todo navio que visitasse. Até onde eu sei, ele manteve a promessa, e como resultado ficou em contato íntimo com o que as tripulações pensavam, precisavam e queriam.

Desse incidente em diante, decidi que os VIPs sempre fariam as refeições com a tripulação. E se o VIP não chegasse próximo do horário de uma refeição, eu daria um jeito de arranjar uma oportunidade para que ele tivesse contato com a tripulação.

Comecei fazendo pelo menos uma refeição por semana no rancho da guarnição. Ganhei muito com isso; aprendi muita coisa e conheci várias pessoas dessa maneira, e depois de algum tempo os meus oficiais ocasionalmente faziam as suas refeições ali também. Eu costumava aparecer para o almoço nas quartas-feiras, e é uma tradição da Marinha que o almoço das quartas-feiras seja sempre de *cheeseburgers*. (Na Marinha eles são apelidados de *sliders*, "lisos", numa referência à gordura.) Bem, o meu mais graduado conselheiro entre as praças, o primeiro-sargento Bob Sheeler, de Laramie, Wyoming, era um admirador fanático do cantor Jimmy Buffett. Assim, toda quarta-feira, exatamente às 11h30, tocávamos a canção *Cheeseburger in Paradise*, de Buffett, pelo sistema de alto-falantes. Foi divertido a princípio; depois, todo mundo enjoou — a não ser Bob. Ele continuava a tocá-la. Nós finalmente ficamos *tão* enjoados da música que ela se tornou divertida de novo. Mas, na última quarta-feira antes da nossa partida para o Golfo Pérsico, decidi que aquela música não tocaria mais no meu navio. Então, promovemos uma rifa beneficente. Com a contribuição de 1 dólar era possível concorrer à oportunidade de acertar o CD com um tiro de fuzil. Levantamos mais de 1.000 dólares para serem distribuídos a instituições de caridade e nunca mais aquela canção foi tocada — até a minha última quarta-feira no comando do *Benfold*.

Em conseqüência da sua passagem pelo *Benfold*, o Sargento Sheeler se tornou um ícone entre as praças. Os marinheiros, cabos e sargentos igualmente querem saber como ele chegou a se tornar um líder autêntico durante o tempo em que trabalhamos juntos. Eu recentemente lhe perguntei o que ele diz às outras praças quando lhe perguntam o que fez a maior diferença para ele como líder, e a resposta dele me impressionou. Eu tinha esquecido completamente o incidente, que ele nunca esqueceu.

A posição de Sargento do Comando* tem o potencial de ser tanto o melhor quanto o pior posto da Marinha. Entre outras obrigações, a pessoa nesse posto representa os interesses das praças junto aos oficiais superiores do navio. O sargento Scheeler costumava me dizer que antes sentia que as suas opiniões eram ignoradas.

Eu achei que os pontos de vista dele mereciam atenção. As nossas reuniões no navio era normalmente feitas no rancho dos oficiais, que tinha apenas quinze lugares. Se chegassem mais pessoas do que isso, ficavam esperando. Ele precisou esperar apenas na nossa primeira reunião depois de eu assumir o comando. Havia um assento reservado para mim, assim como para o meu oficial imediato. Dei uma olhada pela sala e vi o Sargento Scheeler em pé, o terceiro da fila no fundo da sala. Sem pensar direito nas conseqüências do que estava prestes a dizer, anunciei que, dali por diante, o Sargento do Comando do USS *Benfold*, assim como o comandante e o imediato, teria um assento reservado. O lugar dele seria imediatamente à minha esquerda, e o imediato ficaria à minha direita. O chefe de departamento que teve de deixar o lugar fuzilou-me com o olhar, indicando que estava claramente incomodado. Mas, como eu pretendia, a guarnição compreendeu que o Sargento do Comando agora ganhava importância, e que as necessidades de toda a tripulação seriam levadas em consideração.

O Sargento Scheeler iria desempenhar um papel decisivo na determinação do caminho a ser seguido pelo *Benfold*. Às vezes, tudo o que você precisa é de um lugar à mesa. Daquele dia em diante, Scheeler nunca me decepcionou, nem ao pessoal dele. Ele se tornou um sábio, a quem se podia recorrer pelo seu conhecimento sobre liderança.

A classe de contratorpedeiros Arleigh Burke, que inclui o *Benfold*, recebeu esse nome em homenagem ao comodoro que, na Segunda Guerra Mundial, venceu a batalha do cabo St. George com um esquadrão com menos pessoal e armas do que os japoneses. O Almirante Arleigh Burke, um herói naval sem dúvida nenhuma, chegou a se tornar Comandante de Ope-

---

* Na marinha americana a praça mais antiga é o representante da guarnição junto aos oficiais. (N.R.)

rações Navais e encomendou um quadro dos seus navios a caminho da batalha. Trata-se de uma pintura esplêndida. Pouco antes de morrer, aos 98 anos de idade, ele doou as primeiras 750 reproduções do quadro ao Secretário de Defesa, Perry. Um dia, chegando em casa depois de uma temporada no mar, encontrei um enorme pacote à minha porta; era o quadro. Perry o enviara para mim. Acho que ele notou a minha expressão quando vi a pintura pela primeira vez. O quadro ficaria maravilhoso na antepara* da câmara, onde eu poderia apreciá-lo todos os dias, mas eu queria que a tripulação se lembrasse, a cada refeição, da história e da tradição do navio, proveniente da Segunda Guerra Mundial. Assim, decidi pendurar o quadro no rancho da guarnição, e acho que todos gostaram.

DEIXE A SUA TRIPULAÇÃO À VONTADE PARA SE PRONUNCIAR.

Eu estava determinado a criar uma cultura em que todo mundo a bordo se sentisse à vontade o suficiente para me dizer: "Comandante, alguma vez pensou nisto?" ou "Comandante, estou preocupado com o seguinte...", ou ainda "Comandante, acho que está completamente errado e eis por quê..." As pessoas que concordam sempre com tudo, as "vaquinhas-de-presépio", são o câncer de qualquer organização, além de perigosas.

Em toda a minha carreira, observei as pessoas no comando desencorajar completamente as graduações inferiores de se expressar ou de contribuir de algum modo. Em um navio em que servi, tínhamos um novo imediato. Ele era muito talentoso; ficaríamos à vontade indo para a guerra sob o comando dele. Mas a falha desse chefe era que não se podia dizer nada a ele. Ele sabia tudo e ponto final.

Uma manhã, às 5h30, antes do toque da alvorada, estávamos no mar, quando ele chegou correndo no convés e ordenou uma manobra de homem ao mar. Esse era um teste decisivo do estado de prontidão da tripulação para salvar um tripulante caído no mar, ajudar outro barco em dificuldades ou resgatar um marinheiro em mau tempo. Ela requer uma perícia marinheira precisa desde o oficial de quarto** até o patrão da pequena embarcação que

---

* Antepara é a estrutura vertical que separa os compartimentos do navio.
** O oficial de quarto é o responsável pelo quarto de serviço quando o navio está no mar. (N.R.)

vai recolher o homem no mar. É um ótimo exercício quando feito de maneira adequada, e eleva o moral — não só ajuda todos a melhorar as próprias habilidades, como também fortalece a confiança dos marinheiros de que, se caírem no mar, os colegas estarão prontos a resgatá-los.

O imediato estava tão imbuído dos seus objetivos que decidiu soar o alarme antes do toque da alvorada e acordar todo mundo do sono profundo. Não havia nada de errado com isso, porque estávamos apenas em manobras nas águas seguras ao largo da costa da Califórnia. Embora estivéssemos rebocando iscas* pela popa, com um cabo de cerca de 300 metros de comprimento, não fazíamos parte de um grupo real de perseguição em batalha, numa busca verdadeira por submarinos. Naquela situação, se qualquer submarino inimigo lançasse um torpedo sobre o navio, seria possível ativar os geradores de ruídos nas iscas, que enganariam o torpedo e o levariam a acertar nelas em vez de no navio.

O problema é que essas iscas tornam impossível mudar o rumo mais de 180 graus de cada vez, porque os hélices dos motores passam por cima dos cabos e podem cortá-los. As manobras de homem ao mar requerem um círculo fechado para que o navio volte à sua posição original. Sem dúvida nenhuma, poderia acontecer o pior.

Eu estava no meu quarto** no centro de informações de combate do navio e, assim que ouvi que a operação tinha sido desencadeada, pedi ao imediato para me dar quinze minutos para recolher as iscas. Mas ele quis prosseguir com o exercício sem demora. A próxima coisa que vim a saber foi que um objeto flutuante simulado fora lançado pela borda. Em seguida, o apito soou seis vezes em silvos curtos, sinalizando homem ao mar, os quatro motores aceleraram para 30 nós e o navio guinou bruscamente, rumando direto para as iscas. Eu fui para o sistema de alto-falantes e adverti o imediato três vezes sobre os cabos.

— Recolha-os, recolha-os; estou dando continuidade ao exercício! — gritou ele.

Mas eu não conseguiria recolhê-los em menos de quinze minutos; a manobra deveria demorar não mais do que quatro. Quando tentei adverti-lo pela terceira vez, o imediato respondeu:

— Não me fale mais sobre isso, sei que eles estão lá. Recolha-os.

---

* Dispositivos destinados a atrair torpedos para uma posição distante do navio. (N.R.)
** Quarto é o período de duração do serviço no navio. (N.R.)

A operação foi um sucesso espetacular, mas o paciente morreu. Os cabos danificados da isca custaram aos contribuintes cerca de 50.000 dólares. Além do mais, foram precisos quase três meses para substituir os cabos, e durante esse período, caso fôssemos atacados por torpedos, não poderíamos tê-los distraído de maneira eficaz. Em resumo, poderíamos ter atuado com mais coordenação internamente.

Eu gostaria de poder dizer que a necessidade de aprender a ouvir e de melhorar a capacidade de coordenação são coisa do passado. Mas o trágico afundamento de um barco de pesca japonês na costa de Honolulu pelo submarino USS *Greenville* indica o contrário. No momento em que me inteirei do ocorrido, lembrei-me de que, como sempre acontece nos acidentes, alguém sente o perigo iminente mas não necessariamente fala sobre ele. Li em um artigo do *New York Times* que, de acordo com o que as investigações sobre o *Greenville* revelaram, a tripulação do submarino "respeitava demais o comandante para questionar uma decisão dele". Se isso é respeito, não é o que quero. Você precisa que o seu pessoal na empresa seja capaz de lhe dar um tapinha no ombro e dizer: "Será que esse é o melhor procedimento?" ou "Vá com calma" ou "Pense melhor" ou "Será que o que estamos fazendo não vai causar morte ou ferimentos em alguém?"

A história registra incontáveis acidentes nos quais os comandantes dos navios ou gerentes das empresas permitiram que um clima de intimidação tomasse conta do local de trabalho, silenciando os subordinados, cujas advertências poderiam ter evitado o desastre. Até mesmo quando a relutância em falar baseia-se na admiração pelos conhecimentos e pela experiência do comandante, deve-se permitir a criação de um clima para questionar as decisões e estimular uma segunda verificação.

Faça o seu pessoal sentir que pode falar livremente, não importa o que tenha a dizer. Se os tripulantes virem que o comandante está nu, deixe que o digam; fatos são fatos e merecem atenção, não retribuição. Sim, estou estimulando você a trabalhar com mais afinco na condução da sua empresa. Sim, o clima que eu defendo é duro de criar. Mas, segundo o meu ponto de vista, se alguém estivesse à vontade para dar um tapinha no ombro daquele comandante e dizer: "Seguir o planejado não é tão importante assim a ponto de justificar que não se tome um atalho pelo bem da segurança", aquele acidente com o *Greenville* poderia ter sido evitado. Aposto que todos eles prefeririam não ter vivido aquele dia.

Quando os líderes e os gerentes se comportam como se estivessem acima do seu pessoal ao anunciar decisões depois de pouca ou nenhuma consulta, quando deixam claro que as suas ordens não devem ser questionadas, então as condições inclinam-se para o desastre. O lado bom em tudo isso é que todo líder tem o poder de impedir que isso aconteça. Quando desperdiça as oportunidades de liderança, nunca mais você as tem de volta. Não viva a sua vida com arrependimentos.

POUPE A SUA TRIPULAÇÃO DO MAL DO AUTORITARISMO.

O outono de 1997 foi um período vertiginoso a bordo do *Benfold*. O navio estava se aprimorando e o moral pairava nas alturas. Ainda assim, a minha determinação era transformar o navio numa instituição de aprendizado contínuo, o que implicava uma análise sistemática e metódica do que funcionava e do que não funcionava.

A princípio, a minha ambição pareceu quixotesca. Lembro-me de ficar na minha cadeira do comandante no passadiço, observando alguns falharem numa operação simples no convés abaixo, agarrando-me aos braços da cadeira até que os nós dos meus dedos ficassem brancos. Os meus marinheiros estavam pintando algumas instalações de combate a incêndio de vermelho-vivo. O único problema era que não estavam usando uma manta de proteção e a tinta vermelha respingava por todo o convés cinzento que haviam pintado apenas uma semana antes. Agora, teriam de repintar o convés de cinza. O que havia de errado com aquelas pessoas? Por que não conseguiam ver que estavam criando mais trabalho para si mesmas? Mas, em vez de ter uma explosão de cólera, a exemplo de um capitão Bligh,* ameaçando prender e pôr de serviço cada um daqueles paspalhos que desgraçavam o meu navio, eu mordi a língua.

O incidente me fez evocar uma recordação da minha infância. No verão, em anos alternados, eu precisava pintar os arremates da nossa casa de tijolos à vista e da garagem. Uma vez, também deixei de usar a manta protetora de respingos e decorei vários tijolos vermelhos com a tinta branca.

---

* O irascível comandante da Fragata Bounty, cuja história foi contada por Julio Verne em sua obra "A Revolta na Bounty". (N.R.)

A minha mãe rasgou um grande pedaço da minha calça no meu traseiro (ela ainda não aprendera a arte de liderança sobre as pessoas comuns também), o que me ensinou a lição, mas me deixou revoltado e ressentido. Então, expliquei aos meus marinheiros de que maneira o uso de uma manta protetora de respingos contribuiria para aumentar o seu tempo de lazer e eles captaram a mensagem.

E pouco a pouco, enquanto todos iam se acostumando ao novo método, os tripulantes começaram a assumir a responsabilidade pelos seus erros.

Eu queria que eles se sentissem "donos" do *Benfold,* considerando o navio como sendo deles, e assim transformá-lo no navio mais bem-preparado da Esquadra do Pacífico.

É claro que eu tratava as pessoas com a mesma dignidade e respeito que esperava da parte delas, e me certificava de que verdadeiramente gostassem do seu trabalho. Livres da doença do autoritarismo, os marinheiros do *Benfold* tornaram-se responsáveis para tomar decisões, corrigir erros e provar a si mesmos que faziam parte de uma tripulação excepcional.

Previ alguns problemas a curto prazo. Sabia que o nosso desempenho poderia cair um pouco enquanto o pessoal aprendia e se acostumava com as novas responsabilidades. Também sabia que os almirantes poderiam interpretar essa queda como um declínio do *Benfold* sob o meu comando. Ainda assim, queria deixar um legado à Marinha, e preparei-me para nunca mais ser promovido se esse fosse o preço a pagar. A minha tripulação estava sendo treinada para tomar decisões. Poucos conhecimentos seriam mais imprescindíveis ou os beneficiariam mais e à sua organização do que esse, não importava onde a vida os levasse.

FOMENTE A LIBERDADE DE ERRAR.

Eu me esforçava para criar um clima que encorajasse as tentativas quixotescas e incentivasse a liberdade de errar. Nem uma única vez repreendi um marinheiro por tentar resolver um problema ou atingir um objetivo. Queria que o meu pessoal se sentisse responsável, então poderia pensar com autonomia. Na comunidade empresarial atual, a "delegação de responsabilidade" parece ser sinônimo de abandonar a pessoa à própria sorte, mas isso acontece porque acham que isso significa deixar o pessoal fazer o que quer. Delegue responsabilidade ao seu pessoal e ao mesmo tempo ofereça-lhe diretrizes segundo as quais tenha permissão para atuar. Eu chamava isso de "a minha linha na areia": eu tinha o direito de intervir em qualquer decisão que pudesse matar ou ferir alguém, desperdiçar dinheiro dos contribuintes ou danificar o navio. Mas, fora isso, qualquer um no meu navio devia tentar resolver qualquer problema que aparecesse. O ato de experimentar fortalece o caráter, aumenta as habilidades, alimenta a coragem.

Antes de partirmos para o Golfo Pérsico, um sargento da Marinha australiana foi designado para o *Benfold* por seis meses. Ele era um grande fã do rúgbi, um jogo que os meus marinheiros nunca haviam jogado mas gostariam de aprender. Ele começou com um curso de rúgbi e no final das contas chegamos a ter uma equipe de rúgbi do *Benfold*. Compramos um uniforme, o que nos tornou o time de rúgbi mais vistoso da Marinha americana (e é claro que éramos o único time de rúgbi da Marinha americana). Infelizmente, tivemos de partir para o golfo logo depois da formação do time, então ninguém pôde mais treinar e o que tinham aprendido ficou estagnado. Quanto ao seu talento, bem, vamos dizer que não tinham assim uma qualidade de Copa do Mundo.

Quando finalmente entramos no porto, a equipe do *Benfold* desafiou o International Rugby Team, de Dubai. Esse gesto foi um pouco de ousadia: Dubai está cheia de britânicos expatriados que levam o rúgbi muito a sério. Os meus marinheiros demonstravam muito entusiasmo, mas tinham acabado de permanecer 35 dias seguidos no mar, a sua disposição física estava abalada e, para completar, faltava-lhes talento. Então, fomos massacrados, 77 a 4. Foi lamentável. Pior, o rúgbi é um jogo muito duro, com uma marcação corpo-a-corpo muito forte. Alguns dos meus melhores marinheiros sairiam contundidos e eu não poderia fazer nada ao vê-los com um joelho machucado ou uma perna fraturada, tendo de regressar aos Estados Unidos e deixando o *Benfold* desfalcado.

Para o meu espanto, nenhum jogador se feriu gravemente durante todo o jogo. Tivemos apenas uma baixa — uma jovem segundo-tenente que chegara de avião dos Estados Unidos naquele mesmo dia e assistia ao jogo na areia da praia. Quando ela se distraiu com a paisagem por um instante, a bola de rúgbi voou para fora do campo e atingiu-a no dedo mínimo da mão esquerda, deslocando-o completamente. A dor foi muito aguda, mas pior do que isso era que se tratava de uma concertista de piano, com planos de seguir carreira musical.

Corremos com ela para o American International Hospital, em Dubai, onde recolocaram o dedo no lugar. Felizmente, ela se recuperou por completo. O mais misterioso, no entanto, foi que com todos aqueles corpos se chocando uns contra os outros no campo de rúgbi, a única pessoa ferida foi uma concertista de piano sentada na areia. Alguém ali realmente teria adorado a minha tripulação. Provavelmente seria Edward Benfold.

Então fomos massacrados ali no campo de jogo. Quem se importa? Fiquei impressionado ao ver que os meus marinheiros tinham sido confiantes o bastante para enfrentar um time mais experiente. Todos os gerentes deveriam alimentar a liberdade de errar.

A INOVAÇÃO NÃO CONHECE HIERARQUIA.

Em termos de negócios, durante as manobras no Golfo Pérsico, eu considerava o *Benfold* como uma empresa muito produtiva com um cliente importante — o meu chefe, o vice-almirante comandante da Quinta Esquadra. Para vencer no mercado de ações, o nosso navio teria de superar todos os outros nas categorias mais importantes para o meu cliente. Considerando os seus recursos relativamente escassos — poucos navios para atender aos compromissos cada vez mais intensos na região — concentramo-nos em duas maneiras pelas quais poderíamos ajudá-lo melhor e, além disso, vencer os nossos concorrentes.

A primeira maneira era conseguir uma pontaria perfeita com os mísseis *Tomahawk*. Uma vez que tínhamos praticado durante todo o caminho ao cruzar o Pacífico ocidental, fomos os melhores nesse exercício, apresentando o melhor desempenho dentre todos os outros navios operando no golfo. Como conseqüência disso, o almirante nos deu mais mísseis de cruzeiro (mais do que o dobro da nossa dotação original), dotando-nos do maior arsenal da esquadra. Foi uma distinção de honra.

A nossa segunda grande oportunidade para o serviço ao cliente envolvia as inspeções das Nações Unidas em todos os navios que entravam e saíam do Iraque. O almirante era responsável por assegurar que dali não saísse contrabandeado nenhum combustível embargado e que não entrasse nenhum material proibido. Era e ainda é uma tarefa difícil e tediosa. Os navios da Marinha abordavam todas as embarcações que trabalhavam na área, realizavam uma inspeção completa e liberavam rapidamente para o seu rumo os que estavam em ordem. Como em todo negócio de transportes, tempo era dinheiro, então precisávamos evitar atrasos desnecessários que podiam custar milhões a algumas companhias e inflamar o sentimento antiamericanista na região.

A certa altura, quando o mau tempo nos impediu de abordar, fomos forçados a obrigar cinco navios-tanques destinados ao Iraque a esperar ancorados por três dias. Quando o tempo melhorou, o comodoro Duffy nos ordenou que liberássemos os navios o mais rápido possível, uma vez que ele estava sendo criticado por causa dos atrasos. Mandamos que eles formassem um círculo fechado, tendo o *Benfold* no centro, e enviamos duas equipes de busca. Liberamos os cinco navios — incluindo toda a papelada — em duas horas e meia. Foi um recorde.

O comodoro telefonou-me imediatamente:

— Não pode ser verdade. Tem certeza de ter abordado todos aqueles navios?

— Absoluta.

— Vou até aí para observar na próxima oportunidade.

— Sim, senhor. Venha, por favor.

Eu podia ficar calmo, até mesmo orgulhoso. Graças a um terceiro-sargento de direção de tiro Derrick Thomas, o *Benfold* encontrara um meio mais rápido de cumprir a tarefa.

A papelada de abordagem para inspeção, requerida pelas Nações Unidas, era um martírio de tão demorada e tediosa, consistindo em mais de uma centena de perguntas. Pior ainda, metade delas precisava ser respondida em conversas pelo rádio com os comandantes dos navios, a maioria dos quais falava muito mal o inglês. A compilação de todos os relatórios por escrito poderia levar dias.

Depois de ver os nossos oficiais sofrerem com esse processo numa abordagem anterior, o sargento Thomas comentou:

— Por que não criamos um banco de dados para acelerar o processo? Uma porção desses navios faz essa viagem toda semana.

Eu me encontrava no passadiço na ocasião. Os meus oficiais olharam para ele e desviaram o olhar. Eu não trocaria nenhum dos meus oficiais por nenhum outro na Marinha. Eles eram espertos. Tinham muita energia. Conheciam o seu negócio. Mas, conforme eu disse antes, foram treinados para não dar ouvidos à guarnição. Thomas era tão novato que mal tinha a sua existência reconhecida. Então, pedi-lhe para preparar o tal banco de dados.

— Precisamos ter acesso eletrônico a todos os relatórios de todos os navios que entraram e saíram no golfo desde o último ano — disse ele. — Da centena de itens da lista de perguntas, cinqüenta ou sessenta são informações de rotina, que nunca mudam de uma viagem para outra. Posso criar um banco de dados com essas informações de rotina, de modo que até mesmo antes de mandar um navio parar, o senhor tem 50 por cento das informações de que precisa aqui mesmo na tela do *laptop*. Não precisaria ficar perguntando e traduzindo todas as vezes. O trabalho inteiro, incluindo os relatórios por escrito, tomará a metade do tempo.

Autorizei que elaborasse o banco de dados. Ele incluiu mais do que os 150 navios que tinham sido abordados anteriormente. De repente, tínhamos metade do relatório pronta antes do nosso grupo de busca ir a bordo, o que explica como liberamos os cinco navios-tanques atrasados pelo mau tempo e concluímos os relatórios por escrito em duas horas e meia.

Na nossa abordagem seguinte, o comodoro Duffy veio a bordo num helicóptero. Ele ficou impressionado com a eficiência da nossa equipe de busca e captura, mas ficou verdadeiramente perplexo com o banco de dados computadorizado.

— Há seis anos que vimos abordando navios no golfo — comentou ele — e ninguém teve a idéia de catalogar todas essas informações. Meus parabéns. Faça-me uma cópia imediatamente.

O nosso banco de dados foi logo distribuído para todos os outros navios da Marinha que realizavam serviço de abordagem no golfo — e ainda continua sendo usado.

Obviamente, a primeira lição nessa história é que as boas idéias estão onde você as encontra — até mesmo no castelo de proa*. Os meus oficiais estavam prestes a descartar uma ótima idéia só porque partira de uma praça moderna. Felizmente, aconteceu de eu escutar por acaso a recomendação dele. Todo líder precisa de orelhas grandes e tolerância zero para estereótipos. Mas vou fazer mais uma pequena digressão para indicar duas outras lições que podem ajudar na sua empresa:

1. Com poucos navios para inspecionar muitos navios-tanques, o almirante precisava de ótimos resultados com os seus recursos limitados. Esse é um problema comum a muitas organizações. Execu-

---

* Nos navios antigos, o alojamento dos marinheiros ficava localizado em uma superestrutura a vante, chamado castelo de proa. (N.R.)

tar múltiplas tarefas ao mesmo tempo, com os recursos à disposição, é a única maneira de resolver o problema. O *Benfold* dominou a arte de realizar várias tarefas ao mesmo tempo.
2. Por se dar muito bem tanto na inspeção dos navios-tanques quanto na pontaria de lançamento de mísseis de cruzeiro, o *Benfold* conquistou duas áreas cobiçadas de especialização. Os maiorais estavam sempre brigando para conseguir usar os nossos serviços. Essa devia ser a meta de todo negócio: esforçar-se para oferecer alta qualidade a baixo custo em áreas versáteis como aquelas em que os clientes lutam para colocar os seus pedidos.

DESAFIE A SUA TRIPULAÇÃO ALÉM DOS LIMITES.

Por volta da mesma época que veio à baila o assunto dos parafusos de aço inoxidável, perguntei a outro marinheiro o que ele achava do nosso programa de treinamento.

— Para ser honesto — respondeu ele — não é muito bom. Vocês nos dão o manual de treinamento da Marinha e nos fazem pedir todos os itens do cardápio. Em nenhum momento perguntaram aos aprendizes o que eles acham que precisam.

— Boa observação — comentei.

Internamente, não podia deixar de imaginar como um mestre no convés ou um severo instrutor dos Fuzileiros Navais reagiriam a essa queixa. Perguntar aos recrutas o que eles "acham" que precisam? Você deve estar brincando! Os recrutas são proibidos de achar qualquer coisa; eles fazem o que os subficiais e os sargentos são pagos para dizer a eles que façam.

Assim mesmo, reuni uma equipe de instrutores e aprendizes, e revisamos inteiramente o nosso programa de treinamento.

O treinamento é a energia vital da Marinha. Em qualquer ano, você perde cerca de um terço da sua tripulação com transferências, dispensas, ferimentos ou reserva. Assim, a tarefa do treinamento não termina nunca, e pior do que isso, nunca é realizada da melhor maneira. Nos dezoito anos da minha carreira, considerei o treinamento da Marinha em geral ineficaz e muito provável de incitar o descontentamento, se não a total aversão. Se alguma vez tivéssemos um estudo de retorno sobre o investimento quanto ao treinamento entre os militares, cabeças rolariam.

Depois que um navio regressa ao porto sede e conclui um período de manutenção de nove semanas, começa o treinamento necessário para certificar a sua prontidão para as próximas manobras. Depois do nosso serviço no golfo, o *Benfold* começou esse processo. Foi logo depois de a Marinha ter readaptado o seu sistema de treinamento para torná-lo mais adequado às exigências atuais. A nova versão causou a resistência comum à mudança, mas no *Benfold* pensamos que fosse um melhoramento considerável — e com a rubrica da nossa marca registrada, achamos que valeria a pena tentar melhorar ainda mais. É claro que não fazíamos a menor idéia de quanto trabalho haveria pela frente.

A premissa do antigo sistema de treinamento era que todos deveriam levantar as mãos ao mesmo tempo para o mesmo nível de conhecimento. Mas não havia a menor flexibilidade nas lições em grupo. Mesmo que oito entre dez pessoas alcançassem a perfeição, o exercício precisaria ser repetido até que os dois retardatários concluíssem. Você pode imaginar como toda essa repetição tendia a consumir tempo, para não mencionar o interesse e o moral.

A nossa solução foi simples. Usamos a tecnologia para agilizar o nosso tempo de treinamento. Tornamos o nosso treinamento mais duro do que tudo o que jamais havíamos visto em combate. E separamos a parte do novo sistema que se destinava ao treinamento voltado para os retardatários. Se houvesse dois aprendizes fracos, eles repassavam o treinamento à parte dos outros componentes do grupo, o que obviamente economizava o tempo dos demais e supostamente fortalecia a sua confiança e os seus conhecimentos.

No entanto, por melhor que isso soe na teoria, na prática era uma bagunça. O problema era que o processo de registro de dados não acompanhava a tecnologia. Os registros do que os marinheiros concluíam a cada exercício, e quando, eram feitos com papel e lápis. Sim, você leu corretamente: papel e lápis.

Esse absurdo antediluviano era uma sabotagem ao novo programa: ele complicava a programação, e navio após navio fracassavam no exame final. Os críticos do programa haviam falado mal dele, e o comodoro encarregado, que acreditava fortemente nele, viu-se ele próprio pendurado numa verga.*

Acredite ou não — e a essa altura você provavelmente vai acreditar —, ninguém nunca jamais pensou em computadorizar os registros. Então fizemos exatamente isso.

---

* Haste de metal ou madeira presa a um mastro. (N.R.)

O terceiro-sargento que havia criado o banco de dados do Golfo Pérsico, Derrick Thomas, agora fez um outro maior. Bastava apertar um botão para ver os resultados do treinamento: datas, pontuação, atrasos, estrelas. O programa até mesmo organizava as sessões de treinamento. Foi um salto fenomenal à frente, assegurando um treinamento sem confusões e preocupado com quem precisasse de atenção especial.

Assim que o banco de dados entrasse em operação, poderíamos usar outra ferramenta poderosa. A nova tecnologia integrante dos navios permitia aos comandantes criar os seus próprios cenários de treinamento, feitos sob medida para todos os lugares possíveis e imagináveis onde pudesse ser travada uma batalha. Programei no nosso computador todas as forças que o Iraque eventualmente pudesse lançar contra nós; então, eu podia participar de uma batalha simulada para testar a capacidade da minha tripulação em combater essas ameaças. Eu poderia configurar essas batalhas simuladas levando em conta qualquer ameaça esperada, em qualquer lugar do mundo. Na verdade, preparei a formação mais dura do que poderíamos encontrar na vida real. Alguns navios nunca tiraram vantagem desse avanço.

Quando chegamos a San Diego, deparamos com uma avaliação de uma semana de duração, um tipo de treinamento como uma mini-olimpíada da Marinha. Havíamos declarado publicamente que a nossa meta era comprovar a eficácia de todo o programa de treinamento. Essa afirmação imodesta jogou todos os antigos dinossauros contra a parede. Eles pensavam que ninguém pudesse ser assim tão bom. Alguns até mesmo visitaram o nosso navio durante a avaliação, todos com vontade de nos ver engolir as nossas palavras.

Mas nós estávamos preparados. Durante a primeira semana, os assessores vinham a bordo para avaliar o nível de treinamento da tripulação e nos destinar o desafio final, que teríamos de dominar antes da graduação no treinamento, o que, segundo o precedente da Marinha, seria seis meses depois.

Estou seguro de que você vai perdoar o meu orgulho quando eu disser que o *Benfold* foi o melhor no desafio para a graduação final na primeira semana do processo de seis meses. Também conseguimos o maior resultado de todos os tempos — superior a qualquer navio que treinou pelos seis meses inteiros. Como conseguimos fazer isso? Os marinheiros em si tinham reprojetado o programa de treinamento e o tornado mais eficaz do que a Marinha jamais havia sonhado.

Telefonei para o comodoro.

— Senhor — disse eu, esforçando-me para parecer humilde —, acabamos de passar pelo treinamento, e portanto não precisamos ir para o mar pelos seis meses de treinamento.

Houve uma pausa enquanto ele seguramente coçava o queixo.

— Não estamos preparados para fazer isso — disse, por fim. — Vocês precisam ir para o mar por seis meses.

Com delicadeza, procurei negociar com ele. Existe uma arte de controlar o chefe, e todos os chefes podem ser controlados se você souber o que os afeta mais. Um fator universal é a economia de dinheiro. Então expliquei ao comodoro que ele poderia economizar uma considerável despesa com combustível se nos permitisse modificar a nossa programação de treinamento e passar muito menos tempo no mar, uma vez que a nossa aptidão já era a melhor. Ele poderia usar esse combustível nos navios cuja proficiência não chegava ao nosso nível. Finalmente, ele concordou com um programa de treinamento de dois meses. A minha tripulação tinha economizado quatro meses de trabalho árduo para si mesma. Mas quando lhes dei a notícia com orgulho, um marinheiro levantou a mão:

— Isso significa tempo de folga, certo?

— Claro.

— Por que não vamos visitar outros portos, então?

— Nenhum navio sai para visitar outros portos durante o processo de treinamento — disse eu. — Mas vou perguntar.

Telefonei para o comodoro.

— Nenhum navio jamais sai para fazer visitas a outros portos durante esse processo de treinamento — ele me disse.

— Por que não?

Houve mais uma das suas longas pausas.

— Bem — ele disse —, acho que realmente não existe uma boa razão para não fazer isso.

Então, nos dois meses seguintes, cruzamos a costa, fazendo visitas aos portos de Puerto Vallart e Cabo San Lucas, no México, San Francisco, na Califórnia, e Victoria, no Canadá. Para os marinheiros, foi como se estivéssemos no céu — e bem que mereciam.

CAPÍTULO SETE

ASSUMA RISCOS CALCULADOS

A Marinha americana não gosta de pessoas que se arriscam sozinhas, assim como qualquer outra burocracia. Na verdade, assumir um risco é considerado um perigo para a sua carreira. Mas uma organização que visa permanecer viva e forte deve assegurar que sejam elogiados e promovidos aqueles que correm riscos, mesmo que fracassem de vez em quando. Infelizmente, com muita freqüência, as empresas promovem apenas aqueles que nunca cometeram um erro. Mostre-me alguém que nunca cometeu um erro e eu lhe mostro alguém que não faz nada para melhorar a empresa.

Conforme já disse antes, nunca corri um risco impensado na minha carreira na Marinha. Todo risco que corri foi uma parte calculada da minha campanha para produzir mudanças sem pedir permissão da autoridade superior. Assumi apenas os riscos que achei que o meu chefe gostaria que eu corresse, riscos de que poderia me defender dentro das atribuições do meu cargo e da minha autoridade. Na maior parte do tempo, esses riscos produziram resultados benéficos, e o meu chefe recebeu o crédito por eles, então não fez objeções.

Ainda assim, alguns riscos são mais perigosos do que outros. De maneira geral:

APOSTE NAS PESSOAS QUE PENSAM POR SI MESMAS.

Quando assumi o comando do *Benfold*, vi uma tripulação de 310 homens e mulheres com um talento não aproveitado, um espírito não testado e um potencial ilimitado. Estava determinado a ser o comandante que aqueles marinheiros mereciam.

Eu queria enviar uma mensagem em voz alta que provasse que eu falava sério quanto a transformá-los em parceiros, não em peões. Mas eu sabia que as palavras apenas teriam pouca influência. Eles tinham ouvido todos os *slogans* da Marinha, milhares de vezes. Todo almirante diz que o nosso pessoal vem em primeiro lugar, mas poucos transformam essas palavras em ações. O que eu precisava era de um gesto radical. Felizmente, apareceu uma oportunidade quatro dias depois de eu ter assumido o comando, quando me deparei com a tarefa desafiadora de fazer o reabastecimento do navio em alto-mar.

Os navios da Marinha transportam no mínimo metade dos seus tanques de combustível o tempo todo (os tanques do *Benfold* levam cerca de 1,8 milhão de litros). Isso os deixa prontos para emergências. Se você é chamado a ajudar outra embarcação em dificuldades, por exemplo, pode ter que cruzar grandes distâncias sem nenhum acesso a postos de reabastecimento. Quando chega a menos da metade do tanque, espera-se que tenha que reabastecer. E essa tarefa se torna empolgante quando é feita no mar.

O reabastecimento no mar inclui navegar ao lado de uma embarcação de reabastecimento — um navio-tanque da Marinha que transporta cerca de 30 milhões de litros de combustível. Os navios navegam em paralelo, avançando numa velocidade constante de cerca de 15 nós — cerca de 28 quilômetros por hora. Depois que você manobra o seu navio a uma distância de 36 metros do navio-tanque, a tripulação dele lança dois cabos na sua direção, cada um deles transportando uma mangueira de combustível de 20 centímetros de diâmetro. Os cabos são tensionados de modo que permaneçam assim quando os dois navios se separam ou se aproximam alguns metros, mas a margem de erro é reduzida. Você sempre se preocupa se não vai arrebentar os cabos, afastando-se demais, ou deixando as mangueiras caírem no mar, triturando-as com os hélices, se os navios se aproximarem demais. Você prende as mangueiras nos tanques para o reabastecimento, e provavelmente pode bombear 720.000 litros em pouco mais de uma hora e meia.

O reabastecimento no mar é muito divertido mas também muito perigoso, especialmente em mares agitados; as duas embarcações correm o risco de se chocar, podendo provocar tanto danos estruturais como explosões. A tarefa requer uma manobra precisa do navio, e os oficiais põem em jogo a própria carreira toda vez que a fazem. É imprescindível praticar sempre, para que você ganhe desenvoltura, e também para assegurar que, na ocasião em que os seus oficiais menos graduados se tornarem comandantes, não tenham medo de reabastecer o próprio navio.

Considerando tudo isso, o *Benfold* não se reabasteceu muito no mar. A maioria dos reabastecimentos anteriores ocorreu no porto, o que não era perigoso. Quando assumi o comando do *Benfold*, tínhamos menos da metade do tanque. Então, em poucos dias eu ordenei um reabastecimento no mar. Eu já era o responsável pelo navio e não queria ser pego desprevenido.

Apenas o oficial de sistemas de combate, o capitão-tenente Kevin Hill, estava totalmente inteirado da manobra. Embora ele fosse muito bom nela, nenhum navio ou empresa pode confiar em apenas uma pessoa quando se trata de um procedimento decisivo. Isso deixa todo o navio nas mãos de uma única pessoa, que pode se ferir ou adoecer, deixando você com um grande problema. Na atual pressão sobre os custos empresariais, muitas empresas têm cortado tanto o pessoal que ficam apenas com um especialista nas suas posições críticas, não deixando nenhuma margem para erro. Eu via isso como uma receita para o desastre. A minha meta era proporcionar treinamento cruzado em todas as áreas críticas. Assim, quando chegou o momento, não deixei que o oficial experiente fizesse o trabalho. Queria que outra pessoa começasse a aprender.

Eu me encontrava no passadiço com um primeiro-tenente, K. C. Marshall — um ótimo sujeito, sempre sorridente —, que era o ajudante do oficial de quarto (a pessoa que transmite ao timoneiro as ordens de rumo e velocidade durante as manobras do navio). Perguntei-lhe se alguma vez já reabastecera no mar. Ele baixou os olhos para os pés e disse:

— Não, senhor.

Tinha receio de que eu o considerasse incompetente. Longe disso. O problema era que ele nunca tivera a oportunidade de aprender.

Em seguida, perguntei ao capitão-tenente Jerry Olin, o oficial de quarto, se tinha alguma vez feito um reabastecimento no mar. Recebi o mesmo olhar baixo, o mesmo "Não, senhor". Olin, na verdade, pensou que eu fosse substituí-lo.

Olhei para aqueles dois ótimos jovens oficiais e disse:

— Imaginem vocês, eu também nunca fiz isso antes. Está na hora de nós três aprendermos como fazer.

Ambos abriram um sorriso de orelha a orelha. (Na verdade, eu tinha feito a manobra centenas de vezes, embora nunca no *Benfold*. Também tinha Kevin Hill à mão para orientar e treinar os novatos.)

Enquanto manobrávamos ao lado do navio-tanque, Marshall mostrou-se extremamente indeciso. A prática usual, fui informado, era esperar para ser orientado sobre o que fazer. Eu não precisava de papagaios na minha organização. Marshall continuou me pedindo permissão para alterar o ângulo do leme ou aumentar meio nó na nossa velocidade.

Se tudo o que você der são ordens, então tudo o que você vai receber em troca serão executores de ordens. Uma vez que a minha meta era criar pessoas com iniciativa, eu disse finalmente:

— Ei, K. C., este barco também é seu, assuma a responsabilidade por ele. Não peça permissão; faça.

Isso era tudo o que ele precisava ouvir. Fiquei ao lado apenas para o caso de haver problemas, mas tornei-me irrelevante. Ele assumiu todo o controle e fez um trabalho fantástico. Fiquei realmente orgulhoso dele, e a confiança pessoal dele subiu às alturas. Não consigo controlar o meu orgulho quando penso como K. C. foi longe como oficial de marinha.

A notícia voou por todo o navio: aquele comandante não queria papagaios — ele queria gente que pensasse por si mesma. Essa foi a minha primeira oportunidade de demonstrar um novo estilo, e valeu a pena completamente. Confiar num novato para executar aquela manobra traiçoeira foi tanto uma metáfora eficaz quanto a expressão real do meu estilo de liderança. Reabastecer no mar tornou-se um símbolo para as mudanças positivas que viriam pela frente.

Mas, com toda a honestidade, preciso confessar que fiquei petrificado no início do reabastecimento. Acima de tudo, eu nunca fora totalmente responsável por uma manobra daquelas, e ali estava eu, aos 36 anos, encarregado de um patrimônio de mais de 1 bilhão de dólares. Estava cheio de dúvidas pessoais, e o meu coração disparou, e eu quase sufoquei; imaginava que tipo de imagem eu estaria projetando. Chamei o meu imediato, o capitão-de-corveta Jeff Harley, e perguntei-lhe se eu parecia nervoso. Ele disse que não saberia dizer, e não tive escolha a não ser acreditar nele.

Depois que fizemos a aproximação e nos posicionamos perfeitamente ao lado do navio-tanque, experimentei uma sensação de alívio total; então comecei a me sentir mais impressionado com o ótimo trabalho que K. C. fazia. A minha confiança começou a crescer e eu disse a mim mesmo: "Ei, posso fazer isso". Quatro dias depois da minha posse, comecei a sentir que o *Benfold* tinha o potencial para ser grande e fazer grandes coisas. Olhando em retrospectiva, durante aquele reabastecimento foi que comecei a acreditar em mim mesmo como líder.

DÊ UMA OPORTUNIDADE A UM MARINHEIRO PROMISSOR.

Um dos meus primeiros casos disciplinares no *Benfold* aconteceu apenas três semanas após eu ter assumido o comando. Um jovem marinheiro ficara fora até tarde da noite antes de sairmos em viagem. Ele se esquecera de ligar o despertador, e partimos sem ele. Essa é uma falta grave, deixar o navio com falta de pessoal durante um momento que poderia ser de crise — o que, obviamente, também era embaraçoso para o comandante.

Na ocasião, o jovem poderia ter escolhido um destes dois caminhos: ele poderia ter-se tornado tanto um bom marinheiro quanto um desajustado crônico. No fim, dei uma grande oportunidade para ele. A minha confiança foi um risco calculado, que eu esperava que valesse a pena.

Primeiro, teríamos de lidar com a falta disciplinar. Telefonamos para a casa dele em San Diego e lhe dissemos para se apresentar ao comodoro, que o enviaria de helicóptero para o navio. Eu queria mostrar à tripulação que, ao contrário de muitos outros comandantes, não deixaria que casos como aquele piorassem ao longo de meses antes de agir. Então, no instante em que o helicóptero tocou o convés de pouso, anunciamos a chegada dele no sistema de alto-falantes e lhe dissemos para se apresentar para a punição. O resto da tripulação observava.

Ele foi muito direto e honesto. Disse-me que tinha permanecido fora até muito tarde, dormira além da conta e sentia muito. Ele assumiu a plena responsabilidade pelos próprios atos. A responsabilidade pessoal é um traço de caráter em declínio nos Estados Unidos atualmente, então observei quando ele não fez esforço para desviar a culpa. Perguntei-lhe como achava que eu deveria penalizá-lo. Ele indicou a punição máxima que um comandante poderia impor, esperando que seria punido com ela. Eu lhe dei praticamente a metade disso, incluindo trinta dias de detenção no navio, trinta dias de serviços adicionais, rebaixamento e metade do soldo por dois meses.

Também o fiz escrever uma carta de desculpas para os seus companheiros de navio, reconhecendo que os desapontara — que, se o navio tivesse precisado dele numa emergência ou em combate, ele não estaria lá para atender ao chamado. Reconhecer esse fato teve uma grande influência sobre ele. Até o presente momento, ele ainda se sente mal — não por ter perdido a partida do navio, mas por ter desapontado os companheiros. A carta foi publicada no plano do dia, o boletim informativo diário que todo mundo lia.

Os primeiros sinais foram promissores: ele fazia tudo direito. Mas, embora ainda estivesse sob detenção, fez um pedido especial para sair de férias de modo a poder voltar para casa e visitar a mãe. Ela se encontrava gravemente enferma, recuperando-se de uma operação difícil. O navio estava escalado para seis meses de manobras e, se ele não visse a mãe durante os trinta dias em que se encontrava detido, teria de esperar sete meses.

Todos os níveis da cadeia de comando dele negaram o pedido. Uma vez que ele estava cumprindo o tempo de uma punição por transgressão, o pedido contrariava todos os aspectos da disciplina da Marinha. Eu me torturei quanto ao assunto. Se aprovasse o pedido, poderia dar um sinal à tripulação de que era brando. O risco que pesei, muito conscientemente, era se a tripulação acreditaria que eu levava a sério o que havia dito, ou daria de ombros, como se não tivesse o que comentar.

Finalmente, aprovei o pedido dele. Demos-lhe sete dias de licença e incluímos a semana na detenção dele quando regressou. Ele foi para casa, visitou a mãe e regressou um novo homem. Estava determinado a nunca mais desapontar a ninguém outra vez, nem a mim nem aos companheiros. Ele achava que fora tratado com justiça e estava disposto a nos compensar, transformando-se no melhor marinheiro que já havia existido.

E estudou com afinco para operar uma estação de observação muito difícil, monitorando os sistemas de computador que controlavam a transmissão segura das informações inimigas entre os navios. Essa é uma das funções mais difíceis para as praças no centro de informação de combate. Ele se tornou o melhor no assunto, não só no navio, mas em todo o grupo de batalha. Fiquei tão impressionado com o desempenho dele que lhe devolvi a patente de terceiro-sargento.

Quando chegou o momento de renovar o alistamento, ele disse que o faria se o enviássemos para a escola de controladores de tráfego aéreo. Trata-se de um curso torturante; pelo menos 50 por cento dos inscritos o abandonam sem concluir. Entre as exigências para admissão inclui-se o registro de nenhuma pena disciplinar e a graduação mínima de segundo-sargento, e ele estava desclassificado em ambos os quesitos. Mas entramos em campo em defesa dele e conseguimos uma exceção. Ele se formou como o primeiro da classe e tornou-se o melhor controlador de interceptação aérea que eu já vi na vida.

Esse tripulante acabou deixando o serviço militar e trabalha atualmente para uma empresa fornecedora da Marinha, que fabrica programas de computador na área em que ele se tornou um verdadeiro especialista. Seu trabalho é resolver os defeitos de projeto. Ele e eu ainda mantemos contato por e-mail e não faz muito tempo que estive em San Diego e nos encontramos para um café da manhã com o pai dele, que queria me agradecer pelo que eu fiz pelo filho. Aquele foi um ótimo café da manhã, e eu saí com uma sensação boa. É gratificante saber que você teve uma influência positiva na vida das pessoas, e então vê-las progredindo em feitos mais promissores.

A Marinha e o país irão se beneficiar imensamente com o trabalho dedicado dele para a empresa terceirizada.

SE UMA REGRA NÃO FAZ SENTIDO, QUEBRE-A.

Na maioria dos portos do Golfo Pérsico, não se vendem bebidas alcoólicas, portanto a maioria dos marinheiros americanos não se interessa muito por ir à terra. Dubai é diferente. É um dos poucos portos do golfo com bebidas — uma cidade atraente dos Emirados Árabes Unidos, com uma população de cerca de 300.000 pessoas — e a minha primeira visita começou lindamente. Os comandantes recebem um automóvel e um motorista, e eu dei uma volta pela cidade como um paxá em visita, parando para beber uma cerveja Foster's Lager de vez em quando. Nesse meio-tempo, cinco ônibus fretados levavam os meus tripulantes para todos os pontos liberados, e me agradou imaginar o quanto eles estavam se divertindo.

Eu estava errado. Quando encontrei um marinheiro retornando ao nosso navio, perguntei sorridente se ele havia gostado de Dubai. Ele disse que odiara o lugar. E o mesmo havia acontecido com os companheiros. Aquilo me arrasou. Como é que alguém poderia odiar Dubai?

O problema era o transporte. Ele explicou que os ônibus eram para sessenta passageiros, guiados por motoristas verdadeiramente enlouquecidos, que se recusavam a parar quando eles queriam conhecer os locais. Acima de tudo, a Marinha tinha determinado que os marinheiros estavam restritos a usar os ônibus para se deslocar. Por preocupação com questões de segurança, eles não tinham permissão nem para sair a pé, nem para tomar um táxi.

Esse não era o tipo de experiência que a minha tripulação merecia, então imediatamente dispensei os ônibus e contratei vinte vans para dez passageiros cada. Dessa maneira, dez marinheiros poderiam sair numa van com motorista próprio e ir aonde quisessem em Dubai e nas suas imediações.

No entanto, contratar aquelas vans era uma violação aos regulamentos da Marinha. Muitos anos antes, alguns burocratas bem-intencionados haviam concluído que a relação custo-benefício requeria os ônibus de sessenta passageiros para os marinheiros de folga. Mas eu achava que aquele custo precisava ser equilibrado com segurança e com a experiência da tripulação. Do meu ponto de vista, aqueles mastodontes não só eram inadequados, como também alvos altamente vulneráveis. Se um deles fosse atingido num ato terrorista, morreriam sessenta marinheiros, ao passo que um ataque a uma das minhas vans causaria, na pior das hipóteses, dez baixas.

Isso não era apenas uma racionalização. O meu mundo desabara quando os terroristas explodiram o complexo militar das Khobar Towers, na Arábia Saudita, no verão de 1996, matando dezenove aviadores. Eu acompanhava o Secretário Perry na ocasião e voamos até Riad para inspecionar os danos. Permanecemos na imensa cratera onde a bomba explodiu. Vimos o salão dormitório onde a força da explosão atirou um aviador contra o teto, deixando ali uma marca impressa do corpo dele. Nunca discutimos o assunto, mas aquele pode ter sido o pior dia de William Perry como Secretário de Defesa americano. Na ocasião, resolvi que nunca deixaria acontecer aquilo a ninguém cuja vida estivesse sob a minha responsabilidade.

Contra os regulamentos ou não, as vans foram a coisa certa a fazer. Da noite para o dia, a minha tripulação começou a adorar Dubai, e eu dormi melhor sabendo que eles estavam mais seguros do que antes. Até mesmo designei quatro pessoas — dois oficiais e dois primeiros-sargentos — para a função, em tempo integral, de "coordenadores de entretenimento", responsáveis por assegurar que os meus marinheiros desfrutassem as melhores licenças possíveis em terra. Por exemplo, eles viram um anúncio no *Khaleej Times*, o jornal local, sobre um concerto do *rapper* americano Coolio, em visita à cidade. Cinqüenta dos nossos marinheiros iam ao *show*, assim como cinqüenta outros, de outro navio, o USS *O'Bannon*. Durante todo o dia aquelas minivans circulavam por Dubai, levando os meus tripulantes para esquiar nas areias do deserto, nadar em lagos no alto das montanhas, fazer compras, ir ao cinema, bares na praia e restaurantes. A cidade tinha até mesmo um restaurante mexicano.

Quem poderia não gostar de Dubai? Os marinheiros de todos os outros navios americanos. Eles ainda eram transportados pelos grandes ônibus, odiados a cada minuto. O desprazer deles acabou chegando ao conhecimento do vice-almirante Tom Fargo, o Comandante da Quinta Esquadra.

Assim como eu, Fargo considerava Dubai uma cidade muito liberal. Era uma questão de classe e hierarquia. Os comandantes e os almirantes, nos seus sedãs com motorista, adoravam Dubai; as praças não viam a hora de partir. Não muito tempo depois de fazermos as malas, Fargo foi para a cidade com o seu assistente ao volante, refletindo tristemente sobre as queixas que ouvira dos marinheiros de outros navios. O seu motorista e segurança ouvira o que ele comentava e pediu permissão para falar. O motorista fez então ao almirante um relato de toda a experiência do *Benfold*. Fargo ficou fascinado e imediatamente ordenou ao seu assistente para conseguir que eu lhe mandasse um relatório por escrito sobre tudo o que fizéramos.

Sem saber se eu seria repreendido ou elogiado, decidi entregar o jogo e redigi um resumo de cinco páginas sobre como o *Benfold* transformara o serviço no Golfo Pérsico de algo desagradável num ótimo passeio. Descrevi os nossos instrumentos improvisados — vídeos de música, espetáculos luminosos e todos os detalhes das nossas extravagâncias em Dubai, incluindo as liberdades que eu tomara com aquelas vans ilegais. Finalmente, pedi a ajuda dele para mudar os regulamentos.

Fargo saiu-se bem. Enviou o meu manifesto de cinco páginas para todos os navios no Golfo Pérsico. Depois, ouvi dizer que, no porta-aviões *Ni-*

mitz, o comandante reunira-se com todos os seus oficiais superiores para decidir como poderiam aplicar as nossas técnicas junto aos marinheiros. Ali estava eu, o mais novo comandante do Golfo Pérsico, ensinando a todo mundo como proceder a partir do nosso exemplo. A propósito, Tom Fargo agora é o nosso almirante de quatro estrelas encarregado de toda a Esquadra do Pacífico. E todos os navios da Marinha estão autorizados a contratar vans em vez de ônibus.

SE UMA REGRA NÃO FAZ SENTIDO, QUEBRE-A COM CUIDADO.

No início de agosto daquele ano, duas semanas antes de estarmos prontos para partir de San Diego, eu disse ao Sargento Scheeler para carregar cem caixas de cerveja para o navio e trancá-las. Ele pareceu alarmado, como se estivesse lidando com um quase-doido. Na verdade, ele me fitou com os olhos totalmente arregalados, atordoado. Beber álcool é absolutamente proibido nos navios da Marinha, e por uma boa razão: as tradições náuticas estão repletas de histórias horripilantes de motins, naufrágios e outros desastres motivados pelo álcool.

— Comandante — disse ele —, o que o senhor vai fazer com cem caixas de cerveja?

— Não tenho a menor idéia — respondi. — Mas quando surgir a oportunidade não quero ser pego desprevenido. E a propósito, por favor, consiga uma cerveja da melhor qualidade. Não quero a minha tripulação bebendo nada inferior.

Pela expressão dele, era óbvio que não concordava muito com o plano. Uma semana depois, perguntei onde estava a cerveja e ele disse que os intendentes ainda não tinham feito o pedido. Por que não?

— Bem, senhor, simplesmente consideramos uma má idéia trazer cerveja para bordo. Achamos que a tripulação poderia criar problemas.

Como aluno do Pentágono, sei quando está havendo enrolação, e aquilo era enrolação. Quando as pessoas não concordam com você, elas demoram a agir até passar a data da ação.

— Sargento — eu disse calmamente. — Quero que você carregue cem caixas de cerveja para o meu navio.

Três dias mais tarde, ele voltou com o imediato e ambos tentaram me fazer mudar de idéia.

— Vocês não estão entendendo nada — eu reafirmei. — Eu disse que quero a cerveja neste navio.

— Não existe uma maneira de fazê-lo desistir da idéia?

— Nenhuma.

Em pouco tempo, uma enorme carreta de cerveja de dezoito rodas manobrou no píer, e começamos a carregar oitenta caixas de Miller Genuine Draft e vinte caixas de Rolling Rock. Foram trancadas a chave e a cadeado — e as chaves ficaram comigo. Ninguém podia imaginar quando, se é que chegaria o dia, beberíamos toda aquela cerveja. Mas não se pode ir para a zona de combate sem o equipamento adequado. E esse era o lema do *Benfold:* esteja sempre preparado.

Em 30 de dezembro de 1997, tínhamos concluído o nosso turno completo de cem dias no golfo e ainda assim não tocáramos na cerveja. Eu estava começando a pensar que a oportunidade nunca viria.

Exatamente no dia seguinte, o dia de ano-novo, Saddam Hussein lançou outro ataque. O *Benfold* recebeu ordens de deixar Bahrein e colocar-se em posição para lançar os mísseis *Tomahawk* sobre o Iraque, caso fosse ordenado. O que aborreceu todo mundo a bordo, incluindo a mim, foi que todos os outros navios continuaram em Bahrein, onde as suas tripulações poderiam comemorar o ano-novo na base da Marinha. Na verdade, eles estavam sendo premiados por ser menos capazes do que nós com os seus mísseis de cruzeiro.

Felizmente, a crise passou. E embora continuássemos no mar na tarde de 31 de dezembro, uma forte tempestade caiu sobre Bahrein, provocando uma inundação. Bahrein, ai, não tem bueiros. A cidade inteira ficou imersa em 5 centímetros de água não muito limpa. A tempestade desativou a central de abastecimento de energia elétrica e fechou a base da Marinha. Em conseqüência disso, todos os marinheiros ficaram restritos aos seus navios no Dia de Ano-Novo, sem poder ingerir bebidas alcoólicas.

O *Benfold* foi autorizado a retornar ao porto se quisesse. Em vez disso, determinei um rumo para fundear ao largo de Bahrein e disse ao meu oficial intendente para gelar a cerveja. Ele pareceu doente e perplexo. O mesmo posso dizer do Sargento Sheeler, que disse:

— Senhor, gostaria de poder dissuadi-lo de servir bebida no navio.

— Sargento — respondi —, não tenho intenção de servir cerveja neste navio.

— Então, para que mandou gelá-la?
— Vamos ter um jantar fora e beber cerveja, mas não no navio.

Quando nos aproximávamos do local de fundeio, veio em nossa direção uma barcaça imensa, provavelmente com 15 metros de largura por 90 de comprimento. Eu providenciara com o nosso agente de abastecimento para que a rebocasse até lá. Baixamos a nossa escada para a barcaça e — pronto! — tínhamos, ao menos na minha interpretação dos regulamentos, acesso a um espaço para festejar fora do navio.

Nessa noite, enquanto todos os outros marinheiros da área passavam a comemoração do ano-novo em seco, presos aos seus navios, o meu pessoal tinha um bem-merecido momento de descontração na nossa barcaça festiva, e todos comemoramos a chegada de 1998. A única coisa que não tivemos foram fogos de artifício. (Pensando bem, poderíamos ter detonado um autêntico espetáculo pirotécnico com todo o poder de fogo que havia naquele navio.) Sentindo um grande prazer em comemorar com os amigos num estilo exclusivo do *Benfold* — um estilo que honrava os esforços de todos — muitos marinheiros disseram que aquela foi a melhor festa de ano-novo de que participaram na vida. Estavam não só com os companheiros de navio, mas com os seus camaradas.

E foi exatamente assim que o comandante sentiu-se também.

CAPÍTULO OITO

VÁ ALÉM DO PROCEDIMENTO PADRÃO

Na Marinha, assim como nos negócios, o procedimento operacional padrão tende a dominar. Acima de tudo, é padrão — seguro, comprovado, eficaz. Você raramente tem problemas ao seguir o procedimento operacional padrão.

Por outro lado, raramente você consegue resultados significativos. E quase sempre, o procedimento operacional padrão é exatamente o que significa, padrão — distrai as pessoas do que é realmente importante. No meu tempo na Marinha, sempre nos mantínhamos distantes das nossas verdadeiras prioridades por meio de inspeções burocráticas triviais ou pela necessidade de preparar um bom espetáculo por ocasião de uma visita VIP. Às vezes, parecíamos mais preocupados em conseguir que o comandante fosse promovido a almirante. Todos esses esforços subtraíam o interesse pela nossa meta final — a prontidão para o combate.

Inovação e progresso são alcançados apenas por aqueles que se aventuram além do procedimento operacional padrão. Você precisa pensar com inventividade, mas com realismo, sobre o que pode estar mais à frente e se preparar para alcançá-lo. Precisa encontrar novas maneiras de realizar tarefas antigas e com métodos diferentes para os novos problemas. A exemplo do que diriam os meus amigos da NASA, você precisa "forçar a barra". E isso nunca é fácil.

CONCENTRE-SE NAS
SUAS PRIORIDADES.

Aprendi essa lição pela primeira vez no Golfo Pérsico, às 4h30 de 2 de agosto de 1990, por cortesia de Saddam Hussein. Foi um momento da verdade na minha vida, um acontecimento definidor que tem traçado o rumo da minha vida desde essa ocasião.

Na época, eu era um oficial de sistemas de combate de 29 anos de idade a bordo do USS *England*, um antigo cruzador equipado com mísseis teleguiados de longo alcance para derrubar aviões hostis. Essa era a minha quarta comissão depois de ter-me formado na Escola Naval em 1982, e eu ainda tinha muito o que aprender. O comandante do *England*, que era o filho aristocrático de um diplomata, era uma pessoa difícil de se lidar; o imediato estava perto de passar para a reserva. Eu não aprendia muita coisa com nenhum deles. Ainda assim, fiz o melhor que pude para dominar a minha complexa função.

As manobras em tempo de paz são planejadas com anos de antecedência, então fora decidido em 1988 que chegaríamos ao Golfo Pérsico em 2 de agosto de 1990 — que acabou se revelando a data em que Saddam invadiu o Kuwait. Ironicamente, nessa ocasião, os Estados Unidos estavam retirando as suas forças da área. Não tínhamos pessoal do Exército nem da Força Aérea na região, mas apenas cinco navios de guerra no golfo — quatro pequenas fragatas e o *England* —, sem nenhuma cobertura aérea.

Às 4h30, o alarme de postos de combate soou a bordo. Eu saltei da cama, corri para o meu posto ainda com o rosto molhado para afastar o sono dos olhos, olhei para a tela do radar e constatei 21 caças a jato vindo diretamente na nossa direção. O primeiro pensamento que cruzou a minha mente foi: "Puta merda". O segundo foi: "O meu testamento está atualizado e o meu seguro de vida está pago".

Então o comandante me perguntou o que eu pretendia fazer. Olhei para ele sem acreditar; *eu* estava esperando que *ele* me dissesse o que fazer. Respirei fundo e disse que os caças estavam a cerca de 200 quilômetros de distância e os nossos mísseis tinham um alcance máximo de cerca de 180 quilômetros. Eu abriria fogo quando os jatos estivessem a uns 130 quilômetros de nós. Só havia um problema: ainda não sabíamos que tipo de caça eram aqueles. Eles vinham na nossa direção desde as proximidades do

Iraque, e, considerando que não tínhamos aliados na região, só podíamos presumir que eram hostis.

Chamar os minutos seguintes de tensos seria um grande eufemismo. Os jatos continuavam se aproximando cada vez mais. A 132 quilômetros — exatamente quando eu estava me preparando para lançar a primeira salva de mísseis, eles guinaram bruscamente na direção da Arábia Saudita. Tenho certeza de que o meu suspiro de alívio foi ouvido até na praça de máquinas. Horas mais tarde, o serviço de informações da Marinha informou que era um vôo da Força Aérea do Kuwait. Estivemos muito próximos de um grande fiasco porque não tínhamos a informação relevante quando precisávamos.

As semanas que se seguiram foram de ansiedade. Havia poucas forças americanas ou aliadas no golfo, e estávamos vulneráveis a um ataque por parte das forças de Saddam. Então começou a chegar ajuda. Um porta-aviões chegou primeiro, depois caças a jato de unidades do Exército. Todos conhecemos o resultado final: saímos vitoriosos na Operação Tempestade no Deserto porque usamos uma força avassaladora. Mas, no início, o USS *England* estava praticamente sozinho. Se Saddam tivesse caído sobre nós, o resultado teria sido fatal. Aqueles primeiros dias foram tão tensos que, depois de permanecer em serviço por seis horas, eu ficava tão agitado que não conseguia dormir e nem mesmo descansar. Durante aquelas longas horas de preocupação, tinha muito tempo para pensar sobre como o *England* encontrava-se verdadeiramente despreparado para a batalha.

O navio não estava pronto para o combate como deveria; os oficiais poderiam ter feito muito mais nesse sentido. Em vez disso, gastamos muito tempo e esforços para preparar a revista obrigatória do almirante visitante. Foi um tempo que não acrescentou absolutamente nada ao nosso objetivo, a prontidão para o combate.

Fiz um voto solene comigo mesmo de que, se alguma vez tivesse a oportunidade de ser o comandante de um navio, não cometeria um fiasco diante do desafio. Eu me concentraria na prontidão para o combate, porque sem ela as pessoas podem morrer. Nunca quis que um dos meus marinheiros voltasse para casa dentro de um saco plástico por eu ter falhado como líder. Se apresentássemos baixas naquele dia fatídico, eu teria ido para a sepultura sabendo que não fizera o melhor possível para preparar o *England* para a batalha. Até mesmo como oficial subalterno, eu poderia ter insistido num treinamento mais intenso e criado melhores incentivos para o desempenho da tripulação. Foi um erro grave de liderança.

Às 4h30 daquela manhã, observando aqueles jatos voando em nossa direção, eu acordei para a realidade. Tomei a decisão de que, daquele dia em diante, qualquer navio sob o meu comando estaria pronto para a batalha e manobrado pelos mais preparados, motivados e respeitados marinheiros da nossa Marinha. E não haveria distrações. Estaríamos planejando constantemente com vistas a situações possíveis, pensando sempre no "e se": e se um caça inimigo estivesse trafegando por uma rota aérea comercial e de repente guinasse na nossa direção, ameaçando atacar? E se um barco terrorista tentasse nos atacar num porto? E se tivéssemos um grande incêndio a bordo?

Em batalha, as nossas reações iniciais podem geralmente ser a diferença entre o sucesso e o fracasso, a vida e a morte. Também precisamos aplicar os sucessos e erros dos outros à nossa própria situação e aprender com eles. Se você se preparar para as situações mais desafiadoras, existem boas possibilidades de que você esteja muito mais bem preparado para o imprevisto.

MANTENHA-SE À FRENTE DA COMPETIÇÃO.

Um pequeno planejamento antecipado pode lhe dar uma imensa vantagem.

Por exemplo, o *Benfold* e dois outros navios — o *Stethem* e o *Lake Champlain* — estavam escalados para executar um exercício importante no mar. Esse exercício exigia que formássemos uma coluna e avaliássemos a nossa pontaria atirando sobre um míssil simulado — uma isca, ou uma aeronave dirigida a distância — com os nossos próprios mísseis. Lançada de um avião, a isca representa um alvo muito pequeno. Cada navio precisava determinar de onde vinha a isca, então atirar dois mísseis para derrubá-la antes que ela nos destruísse. Os nossos mísseis percorriam cerca de 6.000 quilômetros por hora.

Essas iscas percorriam cerca de 800 quilômetros por hora e eram tão caras e levavam um equipamento de teste tão sofisticado que na verdade acertar uma dessas iscas é a coisa mais rara deste mundo. Os sensores dizem aos controles da isca quando um míssil do navio está prestes a abatê-la; então, no último segundo, ela faz uma manobra de fuga. O equipamento de teste determina se o navio a teria atingido.

Normalmente, você simplesmente aparece no dia do disparo do míssil, realiza a tarefa e navega para longe. Mas nós queríamos fazer muito melhor e nesse caso o sentimento ia mais fundo do que o usual. O *Stethem* era um navio irmão, uma cópia perfeita do *Benfold* que fora construído na mesma época no mesmo estaleiro do Mississípi, e ambas as tripulações tinham um forte caso de rivalidade fraternal. E o *Lake Champlain*, um cruzador AEGIS, tinha se tornado o meu arqui-rival. Eu era um capitão-de-fragata e o mais novo comandante da Esquadra do Pacífico. O capitão-de-mar-e-guerra comandante do *Lake Champlain* era o mais antigo. Era natural, então, querer superá-los no tiro numa competição amigável. Vez após vez, o *Benfold* superou o *Lake Champlain*.

Na verdade, eu não considerava aquilo rivalidade; eu não tinha nenhum rival. Estava em competição apenas comigo mesmo, para ter o melhor navio que pudéssemos. Inevitavelmente, contudo, os outros comandantes se irritavam quando o *Benfold* continuava sendo melhor do que eles, e querendo ou não, as rivalidades vinham à tona. Para ser honesto, eu gostava de vencer e não me incomodava o suficiente em evitar a satisfação que isso proporcionava, mas vou voltar a discutir esse assunto mais adiante.

Nessa competição em especial, sabíamos o que significaria vencer. A isca sabia exatamente o que o nosso radar captava e podia reagir instantaneamente. Compreendendo que as chances estavam contra nós nesse desafio e querendo maximizar uma oportunidade de trabalho, começamos a nos preparar para o exercício com três meses de antecedência.

O comandante do *Lake Champlain* estava encarregado do disparo, mas ele e os seus oficiais fizeram pouco planejamento até o último minuto. Quando eles finalmente se concentraram, era tarde demais para que a tripulação fizesse um bom trabalho. Nós, ao contrário, estávamos tão organizados que nos demos umas férias e programamos uma visita ao porto de San Francisco cinco dias antes do acontecimento.

Assim que aportamos em San Francisco, recebi uma ordem do comandante do *Lake Champlain* para dar meia-volta e ir imediatamente para um ensaio ao largo da costa de San Diego. Respondi que estávamos em uma visita ao porto e que estávamos tão bem preparados para o exercício de tiro que não precisávamos de ensaio. Ele me recordou que era o comandante mais antigo e se eu não comparecesse ao ensaio ele nos eliminaria do exercício, o que acabaria com a prontidão do *Benfold*.

Tomei a liberdade de encaminhar essa mensagem, sem comentário, ao chefe do estado-maior do almirante, em San Diego, o Capitão-de-Mar-e-Guerra Ed Hebert. Ele imediatamente enviou uma mensagem de volta ao comandante do *Lake Champlain*, com cópias para todos, dizendo que o *Benfold* estava livre para fazer o que bem entendesse quanto ao ensaio. Na cultura da Marinha, era uma grande coisa deixar de lado as preferências de um oficial mais antigo em favor de um oficial mais moderno.

Achei que o comandante do *Lake Champlain* devia ter ficado um pouco embaraçado, então decidi fazer a coisa certa e aparecer para o ensaio de qualquer maneira. Reduzimos a nossa visita a San Francisco para doze horas e suspendemos com o *Benfold* rumo ao sul a 30 nós para tomar parte do ensaio.

Saímos de San Francisco num pôr-do-sol espetacular, com a tripulação alinhada na balaustrada para apreciá-lo. Nas correntes traiçoeiras da baía, poderia ter sido mais prudente partir com a luz do dia, mas de novo eu estava me afastando do procedimento padrão. O meu negócio era uma operação 24/7*, e nós precisávamos navegar com competência durante a noite. A saída ao pôr-do-sol foi um acontecimento inteiramente memorável.

No dia seguinte, um avião apareceu para servir de isca e praticamos os procedimentos de comunicação sem na verdade atirar. O *Benfold* era o primeiro navio a detectar a aeronave e o primeiro a emitir as partes de contato**. Esperando que o meu colega do *Lake Champlain* se ressentisse por perder a primeira rodada para o *Benfold*, imaginei que, durante o exercício real, ele ordenaria à sua tripulação para disparar primeiro, o que, conforme eu previa, a isca estava programada para desviar. Em outras palavras, atirar primeiro seria uma boa maneira de errar o alvo e perder o prêmio por defender de maneira competente a sua embarcação dos mísseis hostis.

— Não sejam os primeiros a atirar — disse ao meu pessoal. — A precisão é mais importante. A única coisa de que alguém vai se lembrar amanhã é quem acertou o alvo, não quem atirou primeiro. Então fiquem calmos e procurem fazer com que os seus dois tiros sejam no alvo.

---

* Vinte e quatro horas/sete dias por semana. (N.T.)
** Mensagens com as informações sobre a detecção. (N.R.)

Conforme eu previa, o *Lake Champlain* atirou um míssil tão logo detectou o alvo, mas a isca imediatamente executou o procedimento de desviar. O *Stethem* lançou os seus dois mísseis — ambos erraram o alvo — antes que o *Benfold* lançasse o primeiro. O *Lake Champlain* não teve a oportunidade de lançar o segundo míssil. O *Benfold* marcou dois pontos cravados. Um navio faz melhor do que o outro. A questão é ter certeza de assumir a responsabilidade como comandante, porque o fato de a tripulação se mostrar preparada e eficiente é um reflexo da boa liderança do comandante.

"FORCE A BARRA" EM NOME DA INOVAÇÃO.

Numa das minhas viagens pelo Pentágono na companhia do Secretário Perry, visitamos um navio que estava equipado com um sistema por televisão via satélite. Aqueles marinheiros assistiam às notícias do mundo todo pela CNN, e aquele navio era na verdade um dos melhores que eu jamais havia conhecido. Quando abordamos outro navio sem TV, o contraste era gritante. A primeira tripulação sabia sobre os acontecimentos que podiam afetar as suas vidas, ao passo que o outro navio estava completamente alheio aos acontecimentos e não demonstrava a mínima preocupação. Compreendi, de imediato, o poder da informação. Aqueles que a tinham prosperavam. Os que não a tinham, declinavam.

A televisão por satélite estava disponível apenas nos porta-aviões na ocasião, o que significava apenas doze dos trezentos navios da Marinha. Perry me disse para redigir um memorando para o Secretário da Marinha orientando-o a instalar a TV por satélite nesses navios. Redigi o memorando, mas antes de enviá-lo decidi conversar com um oficial superior do departamento de orçamento da Marinha para dar-lhe a dica do que estava por vir e de que era melhor eles começarem a preparar o orçamento para aquilo. Ele disse:

— Mike, você pode dar o memorando para o Secretário de Defesa assinar. Mas não há dinheiro no orçamento para isso, não está na nossa lista de prioridades, e nunca vai acontecer. Eu garanto a você que vamos esperar que você faça isso, e nada mesmo vai acontecer.

Senti-me diminuído. Perry assinou o memorando e eu o enviei ao Secretário da Marinha, mas soube que ele teria pouco tempo na pasta e nada aconteceria. Parei de pensar no assunto, era uma causa perdida.

Um lampejo à frente: o *Benfold* acabou de chegar ao Golfo Pérsico. Um dos meus oficiais retornou do estado-maior da Quinta Esquadra, onde ele ouvira falar sobre um novo programa para equipar três navios para receber a TV por satélite no mar. Preste atenção, o Secretário da Marinha na verdade fizera a maior pressão a respeito do assunto sobre o almirante. Eu quase caí da cadeira.

Mandei o oficial encarregado do nosso equipamento eletrônico ligar para o Pentágono e descobrir quais eram os três navios que deveriam receber aquele equipamento. O *Benfold* não era um deles. Liguei para o oficial da Marinha que estava conduzindo o programa e expliquei quem eu era. Quando ele descobriu que fora eu que redigira o memorando, o *Benfold* tornou-se o número um na lista dos navios a receber o equipamento.

No dia seguinte os nossos receptores de televisão por satélite foram enviados por via expressa ao Golfo Pérsico, e a minha tripulação passou as duas semanas seguintes tentando descobrir como instalá-los. Quando estavam instalados, o *Benfold* tornou-se o único navio do golfo com televisão por satélite, a não ser pelos dois porta-aviões. Podíamos assistir às notícias, aos eventos esportivos e até mesmo às comédias. A tripulação se sentiu honrada. Costumávamos gravar as partidas de futebol americano e outros navios enviavam os seus helicópteros para pegar uma cópia.

Se tivéssemos parado no procedimento operacional padrão, se eu não tivesse ligado para o oficial da Marinha encarregado do programa, não teríamos conseguido a televisão por satélite. Mas lutar por ela era a coisa certa a fazer, assim como era a coisa certa para Perry fazer aquele esforço inicialmente. Esse equipamento agora está sendo instalado em todos os navios da Marinha e tem feito maravilhas pelo moral, para não mencionar o desempenho, dos navios em serviço muito demorado no mar.

OFEREÇA BENEFÍCIOS PARA TODOS.

Nas minhas entrevistas com a tripulação, recebi um retorno de maneiras que nunca imaginei. Depois de termos implementado as idéias no convés inferior sobre como melhorar a maneira como conduzíamos os trabalhos, a energia do navio começou a aumentar. O desempenho saltou à frente, assim como o moral e os realistamentos. Eu estava começando a me sentir muito bem em relação a mim mesmo como líder.

Logo o meu orgulho recebeu um golpe. Um dia perguntei a um marinheiro de 19 anos de idade se ele gostava do *Benfold*. Ele disse que odiava o navio e que sairia da Marinha o mais cedo possível. Aquilo me arrasou; como é que alguém podia odiar o meu navio? Mas eu me recobrei. Respondi a ele que o considerava um ótimo técnico em eletrônica e que, quando ele saísse da Marinha, eu o ajudaria a encontrar um emprego no setor de eletroeletrônicos. Ele disse que odiava a eletrônica e que pretendia não fazer nada parecido na vida civil. Perguntei o que ele queria fazer, e ele disse que gostaria de ser assistente social.

Na minha ignorância, eu na verdade ri e informei-lhe de que os assistentes sociais não ganham dinheiro. Disse que poderia conseguir-lhe um emprego para ganhar de 60.000 a 80.000 dólares por ano. Tudo o que ele tinha a fazer era continuar no ramo da eletrônica, a onda do futuro. Devo ter falado de maneira parecida ao pomposo homem de negócios do filme clássico *A Primeira Noite de um Homem*, que dá ao jovem Dustin Hoffman a senha secreta para a fama e a fortuna — "Plástico".

Eu nunca me esquecerei da resposta desse marinheiro adolescente. Ele disse que tinha passado a vida em lares adotivos; queria ajudar a assegurar que o que acontecera com ele não acontecesse com outras crianças. Senti-me o menor dos seres humanos. Simplesmente fui obrigado a reavaliar todos os meus valores por alguém com a metade da minha idade.

Fiquei realmente abalado com essa experiência, e passei cerca de uma semana sentado na minha cadeira na asa do passadiço olhando para o mar. A resposta óbvia finalmente me ocorreu: eu deveria usar os talentos do meu futuro assistente social imediatamente. Convoquei-o à minha presença e lhe disse que a sua próxima missão era encontrar uma escola primária local em San Diego que pudéssemos adotar e patrocinar.

Quando voltamos a atracar no porto, ele passou uma semana procurando a escola certa. Quando a descobriu, disse-lhe para reunir o maior número possível de companheiros de navio e descobrir de que a escola precisava. Ele reuniu quarenta dos seus companheiros de bordo, garotos do degrau mais baixo da escada econômica, e estabeleceu um relacionamento com a escola, pintando o prédio para começar. Em seguida, passaram a complementar o ensino dos alunos depois das aulas, lendo para eles e ajudando-os com a matemática.

Eu nunca fui até lá. Não sabia quem ia além do assistente social inicial. Mas sempre que voltávamos do serviço no mar, os marinheiros sempre eram vistos dando aulas na escola, ensinando os alunos e fazendo tudo o que lhes fosse pedido. E a idéia de serviço comunitário se espalhou: sempre que entrávamos num porto estrangeiro, quarenta a cinqüenta marinheiros saíam para encontrar um orfanato ou hospital que precisassem de uma mão amiga.

O *Benfold* deu-nos tantos motivos de orgulho que é difícil destacar um feito acima dos outros. Mas, para mim, aquele que se destaca foi o espírito voluntário que criamos em todo o navio. Era gratificante ver aqueles jovens, quase todos de origem humilde, fazendo o possível para tornar as coisas melhores para os outros, e não porque precisavam fazê-lo, mas porque queriam.

Eu sei que os programas do governo fazem muito bem e ajudam uma porção de pessoas, mas apenas as comunidades locais realmente compreendem as nuanças dos seus problemas. Programas padronizados tendem a não satisfazer ninguém. Acho que as empresas devem aproveitar melhor os seus recursos menos usados. É bom para o moral, bom para a sua reputação e bom para a sua alma. As empresas estão dentro da comunidade e podem direcionar os seus esforços para onde eles são mais necessários. Isso não é muito complicado. A necessidade existe, esperando por alguma iniciativa, e satisfazê-las beneficia a todos — aqueles que fazem, assim como aqueles que recebem.

Recentemente, fiz uma palestra a um grupo de gerentes de uma usina nuclear, que geralmente são motivo de controvérsia e precisam ser recertificadas periodicamente, um processo que inclui auditorias públicas. Uma das considerações envolve os registros passados da usina como um membro da comunidade.

Antes de fazer essa palestra, conversei com a minha mãe, que tem 80 anos de idade e, depois de ensinar inglês e datilografia por 41 anos, ainda é chamada como professora substituta. A escola distrital de Altoona, Pensilvânia, paga aos professores substitutos 55 dólares por dia. É só fazer a conta. Observe o valor que estamos investindo na educação. A minha mãe me contou que ensinava cálculo, matemática, geometria e química —

assuntos de que não tinha o menor conhecimento. Soube depois que outras escolas distritais estavam contratando alunos formados no colegial para substituir os professores. O que há de errado com esse quadro?

Atualmente, a maioria do pessoal que trabalha numa usina nuclear tem graus superiores em física e matemática e outras disciplinas exatas. Ocorreu-me que aquela usina devia fazer parcerias com a escola distrital local, de modo que, quando a escola precisasse de um professor substituto, um funcionário da usina poderia tirar o dia de folga e ocupar o lugar do professor. Uma empresa poderia facilmente estabelecer um programa para dar às pessoas um dia ou dois no ano como voluntário ou substituto. Seria uma relação em que todos ganham: bom para a escola e bom para a empresa, e seria ótimo para os funcionários afastar-se um pouco da rotina de trabalho, voltar à escola e fazer a diferença na vida das crianças. Não consigo pensar num aspecto negativo para nenhum dos envolvidos.

O diretor da usina nuclear me disse que estava pensando em implementar a idéia. Espero que todo gerente ou diretor que leia este livro siga o exemplo dele.

PROCURE FAZER O ÓBVIO. PROVAVELMENTE, É O MELHOR.

Às vezes, uma solução é tão simples e tão evidente que a ignoramos. Pensamos que não é inovadora ou boa ou complexa o bastante, ou que os outros a consideraram e descartaram. Esse é um grande erro.

Enquanto o *Benfold*, o *Gary* e o *Harry W. Hill* se encontravam no mar do sul da China a caminho de Cingapura, recebemos a notícia de que uma força-tarefa naval alemã deslocava-se na nossa direção a caminho do Japão. A marinha alemã raramente se afasta das águas da OTAN, mas aquele esquadrão estava viajando pelo Pacífico Ocidental. Fomos informados para planejar um encontro com os navios alemães e ver que tipo de treinamento poderíamos fazer juntos. A tarefa recaiu sobre o comandante mais antigo, do USS *Gary*, e eu a considerei como uma oportunidade excelente. Estava empolgado com ela e apresentei um plano para simular os navios alemães como o inimigo e conduzir uma batalha no mar. Então trocaríamos pessoal para visitar mutuamente os navios, e faríamos as manobras juntos no mar do sul da China.

Os dois outros comandantes não se importaram muito com isso. Mas eu argumentei que estávamos no mar, não havia mais nada a fazer e poderíamos muito bem nos divertir e fazer algum treinamento com aquilo. A experiência acabou se revelando muito instrutiva. Transferimos pessoal de navio para navio. Reabastecemos do navio-tanque alemão. Enviamos-lhes várias caixas de cerveja Miller Genuine Draft e Rolling Deck. Aprendemos muita coisa sobre trabalhar com os nossos aliados e eles aprenderam muita coisa sobre nós. Foi uma oportunidade maravilhosa.

Algumas pessoas são míopes. Elas se mantêm dentro de um padrão estabelecido e não conseguem visualizar os benefícios potenciais que podem acumular de diversas situações. O nosso ótimo exercício de treinamento com a marinha alemã no mar do sul da China quase não aconteceu porque alguns não acharam que fosse importante.

NÃO TRABALHE MAIS.
TRABALHE MELHOR.

Não muito tempo depois de regressarmos a San Diego no início de 1998, o *Benfold* deu entrada num estaleiro comercial para nove semanas de manutenção, período em que o equipamento foi desmontado e reconstruído para aumentar o seu tempo de vida. Tudo muito bem e ótimo — a não ser pelo fato de que o processo foi um desastre.

Um lindo navio é deixado de lado e logo se vê coberto de poeira, óleo e sujeira entranhada. Para a maioria dos trabalhadores do estaleiro, não passa de outro local de construção, cheio de cabos, canos e chapas de aço. Assegurar que não quebrem nada é uma tarefa de acompanhamento em tempo integral, e de maneira nenhuma divertida. Você está sempre sujo. Você está sempre usando capacete e fones de ouvido por causa do perigo e do barulho, e o trabalho é mal coordenado. Num dia a turma de pintura deixa os corredores brilhando com a tinta fresca. No dia seguinte, os construtores de andaimes transportam o equipamento por ali, deixando arranhões nas vigias, ou os eletricistas vão retalhar os conveses recém-pintados com tinta antiderrapante para passar os fios para baixo.

Você imagina que os estaleiros estão cheios de gerentes de projeto capazes, com habilidade para coordenar essas tarefas, mas pela minha experiência ninguém nem sequer pensou em automatizar o processo. Falei com o meu capitão-tenente, Jerry Olin, que no momento tinha se tornado um dos meus "ninjas confiáveis".

— Poderíamos fazer isso melhor — comentei. — Podemos ajudar o estaleiro. Podemos mostrar a eles como combinar todas essas tarefas de modo que nada precise ser refeito e todo o projeto esteja terminado no prazo, se não antes.

Não foi fácil, mas com a ajuda do sargento Derrick Thomas e a sua experiência com bancos de dados, Jerry criou um sistema de acompanhamento por computador para gerenciar o processo de recondicionamento de nove semanas. Também enviamos metade da nossa tripulação para centros de adestramento para receber instrução que não poderiam receber no navio, então estávamos fazendo isso com uma força de trabalho enormemente reduzida. Tentávamos equilibrar um milhão de bolas no ar e Jerry nunca deixou cair nem uma. Considerando tudo, estávamos maximizando o retorno sobre os dólares pagos pelos contribuintes.

Logo tornou-se claro que terminaríamos o trabalho em sete semanas em vez de nove, um fato inédito. Eu imediatamente pedi permissão para transportar o *Benfold* de volta para o nosso píer na base naval, onde ele passaria por uma faxina. A resposta — você pode imaginar — foi não. A lógica, e eu uso a palavra no sentido amplo, era o clássico pensamento burocrático: contratamos o estaleiro para manter vocês lá por nove semanas; vocês permanecem lá por nove semanas. Mas isso é estupidez, disse eu. Resposta: pagamos ao estaleiro 10.000 dólares por dia de aluguel mesmo que vocês não estejam lá. Está no contrato. Vocês realmente querem que desperdicemos 10.000 dólares por dia?

Tentei argumentar que faria mais sentido gastar os 140.000 dólares e ter o *Benfold* de volta ao seu cais e prontidão operacional, do que deixar o navio e a tripulação de molho por duas semanas. Tive uma luta infeliz em relação a isso e usei um grande capital político no processo. Mas, finalmente, os meus superiores recuaram e deixamos o estaleiro duas semanas antes do programado.

Então os índices do orçamento chegaram. O nosso orçamento pelas nove semanas era de 3 milhões de dólares, e nós o reduzimos para cerca de 2,2 milhões. Não só tínhamos feito o trabalho direito da primeira vez duas semanas antes do programado, como também havíamos economizado cerca de 25 por cento do orçamento muito mais do que tínhamos "desperdiçado" por ter deixado o estaleiro mais cedo. Quando foi a última vez que um projeto do Departamento de Defesa foi terminado sem falhas, dentro do orçamento e antes do tempo programado? Mais do que isso, ao contrário de outros navios, deixamos o estaleiro com o *Benfold* absolutamente sem um respingo — o nosso sistema computadorizado tinha programado uma limpeza e a repintura.

O presidente do estaleiro ficou estupefato. Ele não se conteve ao declarar que tudo se deveu ao seus trabalhadores civis, cuidadosos e meticulosos. O que era um absurdo, para dizer o mínimo, mas eu não iria discutir sobre esse assunto. O meu chefe sabia como tinha acontecido. Não trabalhamos mais do que ninguém; trabalhamos melhor.

Apliquei o mesmo princípio para atacar uma epidemia de falhas mecânicas que vinha varrendo todos os contratorpedeiros da classe Arleigh Burke das Esquadras do Atlântico e do Pacífico.

Esses navios, incluindo o *Benfold*, têm uma enorme demanda de eletricidade, que é fornecida pelos geradores movidos por turbinas a gás. O navio pode funcionar com duas delas, com uma terceira a bordo para emergências. Os geradores operam como motores a jato, numa velocidade enorme. O seu mecanismo crítico de resfriamento é um trocador de calor que carrega a água do mar através de tubos de metal para o reservatório de óleo lubrificante. Os geradores custam acima de 1,5 milhão de dólares cada, mas algum projetista deve ter decidido economizar dinheiro usando metal barato para os tubos do reservatório. Os tubos custam cerca de 7.000 dólares. O problema era que os tubos se corroíam, os canos rachavam, a água do mar contaminava o óleo e os motores paravam.

Quando o *Benfold* perdeu dois geradores num curto período de tempo e teve de voltar direto para o porto, eu comecei a investigar e descobri que tinham ocorrido cerca de sessenta falhas semelhantes. Escrevi uma mensagem para o vice-almirante em San Diego condenando o projeto. Foi quando ele compreendeu não só que isso havia custado à Marinha 60 milhões de dólares em geradores perdidos, como também que não os substituiríamos com a pressa necessária, portanto a Marinha estava perdendo capacidade de combate.

Uma solução óbvia foi substituir os tubos com uma liga mais forte, como a de níquel e cobre, além de outros elementos. Mas alguma coisa mais podia ser necessária e, pela maneira como a Marinha funcionava, eu sabia que tomaria um ano de estudos antes de alguma coisa ser aprovada. Eu precisava de um conserto imediato, porque estava com um gerador desmontado.

Levamos um dos nossos resfriadores de óleo lubrificante quebrados a um fornecedor de máquinas local, onde tivemos os tubos de níquel-cobre instalados. Fizemos testes com ele e funcionou, então consertamos o outro, e aqueles transformadores de calor estão funcionando até hoje.

Conforme eu disse ao meu pessoal, quando você vê um mau negócio se formando, precisa gritar e berrar até que as pessoas prestem atenção nele. A maneira como reduzi as quebras levou o almirante a colocar a Marinha atenta ao problema mais amplo, mas enquanto isso eu pude fazer o meu conserto tomando outro tipo de iniciativa. A questão é que nada disso aconteceu por simplesmente seguir o procedimento padrão.

NÃO LUTE CONTRA A ESTUPIDEZ. USE-A.

As regras da Marinha insistiam em restringir os jovens marinheiros ao seu navio quando chegassem aos portos estrangeiros. Os almirantes tinham certeza de que esses jovens vigorosos se meteriam em problemas tão logo pisassem em terra firme num país estrangeiro — para não dizer o que poderia acontecer se chegassem a tomar uma cerveja. Nós fomos a lugares incríveis — Austrália, Japão, Cingapura, Tailândia — que, é claro, os marinheiros queriam conhecer. Acima de tudo, os pôsteres usados no recrutamento prometiam-lhes que conheceriam o mundo. Mas de acordo com a Marinha, eles não eram maduros o bastante para resistir a quaisquer tentações com que se deparassem.

A Marinha esperava que essas pessoas arriscassem a própria vida em combate, mas as tratava como crianças. Eu seria o último a dizer que os marinheiros em licença sempre agem de maneiras que causem orgulho à Marinha, mas essa regra era tanto estúpida quanto um insulto. A última gota foi quando um esperto almirante no quartel-general desenvolveu um plano insidioso para minimizar a deserção em terra. A idéia dele estava ligada a um curso fantástico da Marinha, desenvolvido para formar marinheiros além das suas especialidades, para que aprendessem o funcionamento de todos os departamentos do navio, e denominado Praça

Especialista em Guerra de Superfície (ESWS, do inglês Enlisted Surface Warfare Specialist). Com esse treinamento, qualquer marinheiro estava apto a substituir os colegas. Em conseqüência do curso, todos tornam-se mais capazes e o desempenho do navio como um todo melhora, especialmente em situações de crise.

Quando o USS *Cole* foi bombardeado no Yêmen, em 2000, ele podia muito bem ter afundado se todas as pessoas a bordo conhecessem apenas as tarefas das suas próprias áreas de serviço. Em vez disso, um número suficiente de marinheiros conseguiu assimilar o plano global de resgate e a relação das suas áreas de conhecimento com ele. Essa capacidade adicional foi decisiva nos esforços para salvar o navio. A idéia equivale a um vendedor de uma empresa saber como funcionam todos os outros departamentos: financeiro, de marketing, de desenvolvimento de produto, de recursos humanos — enfim, toda a estrutura da empresa. Os marinheiros que passam pelo ESWS usam um distintivo especial no uniforme e recebem pontos adicionais válidos para a promoção. É um curso tão difícil que apenas os marinheiros mais experientes normalmente se inscrevem.

O almirante, com a intenção de limitar os problemas em terra, decidiu que ninguém com menos de 21 anos de idade poderia permanecer em terra num porto estrangeiro depois da meia-noite a menos que tivesse passado pelo ESWS. Essa seria uma política nobre se a idéia fosse encorajar as pessoas a fazerem o curso. Em vez disso, o texto da portaria dava a nítida impressão de que pretendia privar o pessoal de um direito, em vez de melhorar um processo.

Agora, se eu tivesse discordado frontalmente da portaria do almirante, poderia ter sido demitido. Mais importante ainda, as minhas ações teriam dado a impressão à minha tripulação de que é certo ignorar as políticas com as quais não concordamos.

Mas, se eu não podia mudar uma regra estúpida, podia usá-la em benefício dos meus propósitos. Podia tentar interessar a tripulação em fazer o curso, o que lhes daria a licença e, principalmente, aumentaria a capacidade de prontidão do nosso navio. No entanto, considerando que praticamente ninguém tinha passado no ESWS na época do meu predecessor, a tripulação estava convencida de que era impossível, assim muito poucos tentavam. Na verdade, o curso do ESWS no *Benfold* era tão difícil que não tenho certeza de que eu mesmo conseguiria ser aprovado nele.

A minha meta era mudar esse ponto de vista. Como sentia orgulho pelo *Benfold*, geralmente convidava hóspedes para me acompanhar nas viagens do navio, e me ocorreu que, em certo sentido, o curso do ESWS basicamente ensinava os marinheiros a ser guias para os visitantes. Nesse contexto, um bom guia de visita explicaria como os motores, geradores e sistemas de armas funcionavam; como controlamos as aeronaves; a máquina de suspender*; e muito mais. Os qualificados pelo ESWS entendiam e eram capazes de explicar como as diversas partes do navio interagem para transformá-lo numa máquina de guerra.

Eu analisei e otimizei o processo de qualificação, tirando cerca de 15 por cento das exigências porque não eram relevantes para o *Benfold*. Então reuni todos os marinheiros e expliquei que o ESWS era uma boa maneira de eles aprenderem como mostrar o navio aos convidados. Depois que definimos o curso nesses termos, os marinheiros ficaram confiantes: "Ei, podemos fazer isso. Mais, isso vai nos ajudar a ser promovidos". E de algum modo, correu a notícia de que o distintivo do ESWS também seria o bastante para conferir licença aos marinheiros abaixo do limite de idade.

Praticamente todos os marinheiros a bordo fizeram o curso. Na época em que entramos em Bahrein, em 3 de outubro, eu fui capaz de qualificar o meu primeiro marinheiro mais jovem como uma Praça Especialista em Guerra de Superfície. Era o marinheiro Joseph Cotton, de 20 anos de idade e merecidamente orgulhoso de sua conquista.

Logo recebemos a notícia de que o general Anthony Zinni, o fuzileiro naval de quatro estrelas que comandava toda a força do Oriente Médio, queria conhecer o nosso navio. Hum, pensei, que feliz coincidência.

Reuni todas as minhas praças mais modernas no convés de vôo para a chegada do general. Entre eles encontrava-se o marinheiro Cotton, a minha estrela escolhida para a ocasião. O general Zinni veio a bordo com o vice-almirante Tom Fargo, o embaixador americano em Bahrein, o seu destacamento de segurança e um grupo de ajudantes. Perguntei ao general se ele daria a honra ao marinheiro Cotton de colocar-lhe o distintivo de ESWS. Ele ficou contente em fazê-lo. Para os generais e almirantes, atribuir distintivos a marinheiros é o equivalente aos políticos beijarem bebês.

---

* Equipamento para içar as âncoras do navio. (N.R.)

— E agora, senhor — disse eu —, o navio está pronto para a sua inspeção.

— Vá na frente — disse o general.

— Em outra ocasião, senhor. Hoje, o marinheiro Cotton lhe proporcionará a visita.

— Poderia repetir?

— O marinheiro Cotton irá acompanhá-lo.

O general ficou parado, tentando me entender. As quatro estrelas dele cintilavam ao sol. Ele e Cotton estavam nos pólos extremos da escala de pagamento militar.

— Senhor — disse eu —, a visita faz parte dos requisitos para receber o distintivo, e eu tenho o máximo de confiança no marinheiro Cotton. Ele conhece o navio tão bem quanto eu.

Zini ficou impressionado que eu pudesse abrir mão da oportunidade de aparecer e deixar uma praça acompanhar um quatro-estrelas. Que aquele equilibrado rapaz de 20 anos não se impressionasse nem esquecesse as suas falas, e que o conhecimento que demonstrou do navio era bastante sofisticado, impressionou o general e principalmente agradou-o sobremaneira. Foi um gol de placa.

Nessa noite o general Zinni foi convidado a falar sobre liderança no baile de aniversário do navio. No carro a caminho do baile, Tom Fargo contou-me depois, ele preparou o discurso e fez anotações para outro. O novo discurso concentrava-se na liderança no USS *Benfold,* especificamente como nós preparávamos os jovens marinheiros para assumirem grandes responsabilidades — incluindo apresentar uma visita calma e experiente sobre o navio a VIPs em posição tão elevada na cadeia de comando que os oficiais em outros navios provavelmente tremeriam na sua presença. Os ouvintes de Zinni captaram a mensagem. Aquele era o dia de o *Benfold* brilhar — o dia em que começamos a merecer a reputação de o navio mais confiável do Golfo Pérsico.

Depois do passeio Cotton-Zinni, a tripulação viu até que ponto eu falava sério quanto ao curso de ESWS e o seu zelo redobrou. Logo qualificamos quase 200 dos nossos 310 marinheiros, todos eles muito orgulhosos de ostentar o distintivo. Por meu turno, eu poderia estar orgulhoso dos marinheiros que compreendiam como todo o navio funcionava, o que aumentava exponencialmente a nossa prontidão para o combate.

Não existem aspectos negativos em ter funcionários que sabem como cada divisão de uma organização funciona. O desafio é encontrar incentivos para motivá-los a querer fazer isso. No nosso caso, foi fácil; 200 marinheiros estavam não só orgulhosos de ostentar os seus distintivos do ESWS, mas também haviam conquistado a liberdade que de outra maneira lhes seria negada.

CAPÍTULO NOVE

PREPARE O SEU PESSOAL

A liderança, como eu já disse, é principalmente a arte de fazer as coisas simples muito bem. No entanto, algumas vezes as tornamos mais difíceis do que precisam ser. Ao contrário de alguns líderes, prefiro me afirmar fortalecendo os outros e ajudando-os a se sentirem bem em relação ao seu trabalho e a si mesmos. Quando isso acontece, o trabalho deles melhora, e o meu próprio moral dá um salto.

Eu deixava os ameaçadores sargentos instrutores para os outros líderes com outras metas. Comandar o *Benfold* exigia inteligência e iniciativa, não força muscular. Apenas marinheiros competentes e confiantes poderiam lidar com as complexidades do navio e cumprir as suas missões. Esses marinheiros podiam não ser modelados numa tripulação briguenta comandada pelo medo e punida como se fossem crianças incapazes. O meu trabalho era transformar crianças em adultos que deixariam Edward Benfold orgulhoso.

Concentrei-me em cultivar a auto-estima. Eu sabia que a maioria de nós carrega consigo uma mochila invisível cheia de inseguranças da infância, e que muitos marinheiros geralmente lutavam sob a carga de insultos no passado, incluindo ser menosprezados em casa ou reprimidos na escola. Eu poderia tornar a carga mais pesada ou mais leve, e a escolha certa era óbvia. Em vez de enfraquecer as pessoas para torná-las iguais a robôs, tentei mostrar a elas que eu confiava e acreditava nelas.

Mostre-me um gerente que ignora a força do elogio e eu lhe mostrarei um gerente desprezível. Um elogio é infinitamente mais produtivo do que uma punição — poderia haver algo mais evidente? Mas quantos gerentes admitem esse fato apenas da boca pra fora? Quantos realmente assumem esse comportamento? Não muitos.

O mesmo princípio se aplica no momento que você está lidando com os chefes: nunca os enfraqueça; ajude-os a se sentirem fortalecidos. Se você quiser conseguir alguma coisa numa grande burocracia, procure pensar como os chefes. Adivinhe de antemão o que eles querem antes que eles saibam o que querem. Assuma os problemas deles; faça-os sentirem-se tão bem que você se torne indispensável. Quando eles não puderem deixar de contar com você, eles apoiarão praticamente tudo o que você quiser fazer.

PEQUENAS COISAS RESULTAM EM GRANDES SUCESSOS.

Aproximadamente dois meses depois de eu ter assumido o comando, outros comandantes de navio começaram a visitar o *Benfold* para descobrir como estávamos conseguindo que os nossos marinheiros trabalhassem tão bem. Eu tinha o maior prazer em compartilhar todos os nossos segredos. Eles nunca eram muito profundos; basicamente, estávamos atentos aos sentimentos e ao potencial do nosso pessoal. Uma porção de gestos aparentemente pequenos somaram-se a uma atmosfera amigável e estimulante.

Por exemplo, eu mandei fazer um grande suprimento de cartões comemorativos em que se lia: "Os Oficiais e a Guarnição do USS *Benfold* Desejam a Você um Feliz Aniversário". Todo mês o meu pessoal da secretaria me enviava uma lista dos aniversários dos cônjuges dos meus marinheiros. Eu escrevia, digamos, "Prezada Maria" no alto e assinava "Cordialmente, Mike". Todo cartão incluía o meu P.S. dizendo: "O seu marido ou esposa está fazendo um ótimo trabalho", mesmo que não fosse o caso. Eu sabia que os cartões funcionavam porque os marinheiros geralmente apareciam para agradecer. Era a minha maneira de manter as famílias de todos à nossa volta.

O comandante de um dos nossos navios irmãos adorou a idéia e imediatamente ordenou ao seu imediato para enviar os cartões de aniversário para os cônjuges de todos os seus marinheiros. É claro que ele queria dizer que eles deveriam ser enviados na data adequada — no aniversário dos cônjuges. No dia seguinte, uma leva de cartões para um ano partiu no mesmo dia num enorme malote. Minha nossa! Mas na verdade, isso era sintomático daquele navio — os oficiais eram bons, mas eles às vezes não entendiam muito bem as coisas. Eles não eram oficiais do *Benfold*. Acho que eles chegavam a um limite no desempenho porque não criavam um clima de apoio que encorajasse os marinheiros a superar as suas próprias expectativas. Em resumo, essa era a postura no *Benfold*.

Eu observei que a maioria dos meus jovens marinheiros provinham de um ambiente problemático e tinham lutado muito para conseguir entrar para a Marinha. Coloquei-me no lugar dos seus pais e imaginei como eles se sentiriam se recebessem cartas do comandante dos seus filhos, e imaginei como os garotos iriam se sentir quando os pais lhes contassem. Comecei a escrever cartas aos pais, especialmente quando os filhos ou filhas faziam algo que eu honestamente elogiaria. Quando as cartas chegavam, os pais invariavelmente telefonavam para os filhos para dizer como se orgulhavam deles. Até hoje, ainda recebo cartões de Natal de pais agradecidos.

Um jovem que não era propriamente uma estrela estava trabalhando num projeto com quatro marinheiros destacados. Eu debati se ele merecia uma das minhas cartas; porque fazia parte de um grupo estelar, fui em frente. Os pais eram divorciados, então enviei uma carta para cada um dos pais. Cerca de duas semanas depois, o marinheiro bateu na minha porta com o rosto banhado em lágrimas.

— O que aconteceu? — perguntei.

— Acabei de receber um telefonema do meu pai, que durante toda a minha vida dizia que eu era um fracasso. Dessa vez, ele disse que tinha acabado de receber uma carta sua e queria me cumprimentar e dizer como se sentia orgulhoso de mim. Foi a primeira vez em toda a minha vida que ele realmente me cumprimentou. Comandante, não sei como agradecer-lhe por isso.

Consegui segurar as lágrimas, mas fiquei muito comovido.

Um dos meus melhores marinheiros era um segundo-sargento, Darren Barton, de Little Rock, Arkansas. Darren era um dos marinheiros que tinham feito um trabalho importante com os mísseis de cruzeiro *Tomahawk*. Eu escrevi para a mãe dele, Carol, sobre como o filho dela tivera um bom desempenho, e ela ficou tão orgulhosa que um dia, quando o presidente Clinton visitava Little Rock, ela parou diante do carro em que ele ia e pediu-lhe para assinar o verso da minha carta. Ela me mandou uma cópia daquela carta assinada pelo presidente dos Estados Unidos, e eu fiquei extremamente feliz de compartilhar o orgulho que ela sentia pelo filho.

Os meus oficiais sabiam que podiam sempre me usar nos seus processos de liderança. Eles nunca hesitavam em bater na minha porta e dizer: "Ei, comandante, da próxima vez que fizer uma vistoria no navio, o operador de sonar Smith realmente excedeu-se naquele banco de dados" ou "O marinheiro Jones está fazendo um trabalho incrível na lavanderia. Poderia dar uma paradinha lá e dizer que gosta do trabalho dele?"

Essas conversas eram o ponto alto do meu dia, e elas não me custavam, nem à Marinha, nem um centavo. Quanto mais eu saísse cumprimentando os marinheiros, mais eles me falavam com franqueza e inteligência. Quanto mais eu lhes agradecia pelos esforços, mais eles trabalhavam com afinco. O resultado em termos de moral era palpável. Estou absolutamente convencido de que o reforço positivo e pessoal é a essência da liderança eficaz. Ainda assim alguns líderes parecem ir na direção contrária. Eles continuam ligados eletronicamente por *e-mail* e telefones celulares, mas estão desligados pessoalmente, e muitos líderes quase nunca saem da própria sala. As pessoas parecem pensar que se você manda um cumprimento *on-line* para alguém, é tão bom quanto o contato humano. Não é. É mais fácil, mas muito menos eficaz. A interação social está se perdendo no mundo digital que funciona mais em termos abstratos do que nas relações face a face. É mais do que uma pena — é um erro básico.

Como eu já disse antes, a minha irmã Connie trabalha para um banco importante. Um dos funcionários dela fez um trabalho fenomenal, conseguindo um ganho de centenas de milhares de dólares para o banco, e o chefe de Connie enviou um *e-mail* agradecendo e cumprimentando-a. Nessa mesma tarde, ele subiu no elevador com ela e nem mesmo a reconheceu. Aquilo desfez completamente qualquer benefício que o *e-mail* pudesse ter provocado.

Lembre-se de como você se sente quando o seu chefe lhe diz: "Bom trabalho". Faça um favor ao seu pessoal (e a si mesmo). Diga isso pessoalmente, se puder. Aperte a mão da pessoa. Seja franco e cordial. A frieza congela. O calor aquece. Pequenas coisas fazem um grande sucesso.

A Marinha tem um programa que designa um *ombudsman* para cada navio como um ponto de contato para as famílias dos marinheiros. A idéia é manter as famílias atualizadas sobre novas ordens, acontecimentos a bordo do navio, os movimentos do navio, em geral, e, é claro, ter uma ligação de comunicação entre os marinheiros e as suas famílias. Na prática, o *ombudsman* é normalmente o cônjuge de alguém no navio e é o eixo para todas as outras famílias que queiram manter-se em contato com os seus parentes a bordo. Decidimos tornar o programa de *ombudsman* no *Benfold* o melhor da Marinha, e na verdade o nosso *ombudsman* foi fenomenal.

Sylvia Schanche tinha uma linha telefônica especial para as famílias ligarem e deixar mensagens para ela, as quais ela respondia ligando para o navio ou enviando um *e-mail*. Ela mantinha todo mundo informado sobre a programação em constante mudança do navio; se houvesse um acidente a bordo, nós a informávamos imediatamente do que estava acontecendo e ela passava a notícia para as famílias de todos os envolvidos. Se houvesse uma morte na família do marinheiro, o *ombudsman* tomaria as providências para que ele tomasse um avião de volta aos Estados Unidos. Se um parente fosse hospitalizado, ela passava a informação de um lado para outro. Ela até mesmo ajudava as famílias que estavam tendo problemas em lidar com o *stress* da separação. Ela era um ótimo recurso e outra maneira de manter a tripulação forte e unida. Quanto menos eles precisassem se preocupar com o que se passava em casa, mais tempo e atenção eles tinham para o navio.

A maior parte das empresas devia ter um programa semelhante, mas dificilmente alguma tem. Por exemplo, sei de um gerente que teve um ataque cardíaco na estrada, mas a empresa não tinha um procedimento previamente estabelecido para levar a família de avião para ficar com ele no hospital, e em geral para suavizar um momento de trauma. Os departamentos de recursos humanos normalmente não estão organizados para fazer isso.

Na verdade, muitas das técnicas que eu desenvolvi na Marinha poderiam ser facilmente adaptadas para o reforço pessoal no ambiente de trabalho civil. Por exemplo, a Marinha oferece medalhas para o desempenho superior, mas não quando os marinheiros deixam o serviço. Demitir-se é considerado como uma quebra na hierarquia e uma relativa falta de consideração por aqueles que são deixados para trás. Eu discordo dessa política, acreditando que as medalhas têm dois significados importantes mesmo quando são dadas para o pessoal que está deixando o serviço. Elas dizem aos que saem que os seus serviços foram valorizados; igualmente importante, elas mostram aos que permanecem que o seu trabalho duro será reconhecido da mesma maneira quando eles saírem.

O comandante de um navio está autorizado a conceder 15 medalhas por ano. Eu queria errar por excesso, então no meu primeiro ano entreguei 115. Praticamente toda vez que um marinheiro saía, eu lhe entregava uma medalha. Até mesmo se não fossem merecedores de estrelas, eles recebiam medalhas numa cerimônia pública assim que terminassem o seu último dia de serviço. Eu fazia um breve discurso explicando o quanto gostávamos da sua amizade, camaradagem e esforço. Não era incomum as pessoas chorarem nessas cerimônias. Algumas vezes os colegas do marinheiro de saída contavam histórias engraçadas, recordando dos seus pontos fracos, tentativas e triunfos.

O prêmio que eu oferecia era chamado de Medalha de Êxito da Marinha. Eu sempre achei que toda empresa devia ter um equivalente — a Estrela de Qualidade da General Electric, digamos, ou a Ordem de Excelência da IBM, ou a Medalha de Distinção da Microsoft. Não existe um lado negativo nesse gesto simbólico, desde que seja feito com sinceridade e sem exagero.

CONFIE NAS PESSOAS. ELAS NORMALMENTE MOSTRAM QUE VOCÊ ESTÁ CERTO.

Uma vez por ano, todos os navios da Marinha passam por uma avaliação completa, na qual inspetores de fora avaliam o estado de prontidão do navio. O navio como um todo e a capacidade e a competência da tripulação são classificadas em 24 categorias, numa escala que varia do básico Nível Um para o avançado Nível Quatro.

A finalidade é determinar até que ponto a tripulação precisaria de instrução adicional para estar pronta para o combate. Mas se você considerar que quanto mais alto o nível de um navio, menos tempo ele passaria treinando no mar, você estaria errado. Na verdade, independentemente da sua classificação de prontidão, todo navio gasta os seis meses seguintes em treinamento no mar.

Assim não havia incentivo para atingir o Nível Quatro, e na verdade nenhum navio jamais atingiu. O Nível Um era o requisito mínimo, e esse era normalmente considerado bom o bastante.

Então chegou o *Benfold*.

Originalmente, a minha meta era atingir uma classificação geral de Nível Dois, mas quando reconheci o enorme potencial da minha tripulação, subi a barra para o Nível Três, para muito despeito daqueles que o consideravam como um salto quântico no seu trabalho e no meu orgulho.

Também devo admitir que, além do meu motivo nobre de tornar o navio tão bom quanto ele poderia ser, eu queria apagar o meu arqui-rival da água. A avaliação dele estava programada para começar na semana seguinte à nossa. A estratégia do meu rival era fazer pouco e ater-se ao básico Nível Um. O comandante não fazia idéia de que nós estávamos preparando o terreno para agitar um pouco as coisas. Na verdade, estávamos prestes a abalar o mundo dele.

O nosso primeiro desafio foi encontrar oficiais em número bastante para supervisionar as 24 áreas do teste. O meu oficial de sistemas de combate me deu a notícia inesperada de que tinha apenas vinte pessoas qualificadas que não estavam envolvidas em outras operações críticas.

Pensando rápido, eu disse:

— Ótimo... escolha supervisores do próximo grupo na escala hierárquica. Você nem sempre precisa de um oficial para ser o encarregado. No caso, poderia ser um jovem terceiro-sargento.

— Isso nunca foi feito antes — respondeu ele.

— Veja o que eles conseguem fazer — disse eu. — A alternativa é não fazer nada, certo? Vamos colocar o pessoal mais graduado nas áreas mais difíceis e trabalhar com os mais novos. Se não chegarmos ao Nível Três em algumas categorias, e daí? Vamos conseguir o Nível Um ou o Dois. Não temos nada a perder.

Conforme ficou demonstrado, o terceiro-sargento e o segundo-sargento ficaram tão honrados em ser escolhidos que trabalharam com afinco suficiente para que diversas das suas equipes brilhassem mais do que as supervisionadas pelos oficiais. A equipe de busca e salvamento foi particularmente impressionante. Nós a designamos para um dos marinheiros menos graduados do navio porque desconfiávamos que ele tinha capacidade para desincumbir-se dela. Os inspetores externos protestaram, dizendo que não poderiam avaliar o trabalho de uma equipe importante que não fosse chefiada por um oficial. Mas eu insisti e o jovem marinheiro fez um trabalho tão fantástico que os inspetores engoliram o que disseram e nos colocaram no Nível Quatro nessa categoria.

Romper com os nossos sistemas estratificados para confiar nas pessoas que trabalhavam para nós, especialmente aquelas no extremo inferior ou próximo dele na hierarquia, foi uma mudança conveniente e progressiva. Ela nos permitiu dar liberdade a pessoas com talento e deixá-las subir a níveis que ninguém esperava, simplesmente por desafiá-las: tornem o *Benfold* o navio mais preparado sobre a água. Nesse contexto, como nós poderíamos não ter-nos saído bem?

As aclamações pelo nosso desempenho inacreditável estavam apenas começando quando outro navio iniciava o processo de avaliação. O comandante dele, pressentindo o desastre, exortou o seu pessoal a se esquecer do Nível Um e atirar-se para o Nível Quatro.

Mas você não pode "ordenar" um desempenho excepcional. Você precisa planejar, capacitar, fomentar e concentrar-se nele. Na verdade, aquele navio terminou no Nível Um.

Quatro meses depois, o chefão da Marinha, o Comandante de Operações Navais, revisou o processo de avaliação e estabeleceu um programa formal que permitia que os navios mantivessem o processo de treinamento de seis meses se conseguissem alcançar o mesmos níveis de desempenho que o *Benfold* atingira. Esse modelo é hoje o padrão em toda a Marinha. E surgiu porque delegamos responsabilidade às pessoas que estavam prontas e eram capazes de aceitá-la.

OS NOVATOS SÃO IMPORTANTES. TRATE-OS BEM.

Uma das coisas em que a Marinha era absolutamente infeliz, como também acontece com muitas empresas, era nas boas-vindas aos novos funcionários. Os recrutas eram enviados para a escola de grumetes da Marinha, em Great Lakes, Illinois, nas imediações de Chicago. Eles se formavam em uma sexta-feira de manhã, embarcavam num avião à tarde e aterrissavam em San Diego na mesma noite. Em seguida deviam encontrar o caminho para o seu navio — para serem recepcionados por ninguém. Pior ainda, ninguém nem mesmo sabia que eles iam chegar. Depois de passar pela escola de grumetes, o primeiro encontro deles com a verdadeira Marinha era entrar para um grupo de marinheiros que estavam se aprontando para a licença de fim de semana e não teriam tempo para eles.

Comecei conversando com os recém-chegados, perguntando-lhes sobre o seu primeiro dia. Eles disseram que se sentiam totalmente intimidados, que não tinham amigos e não conheciam ninguém. Eles ficavam perdidos nas primeiras 48 horas, abandonados à própria sorte a bordo do navio enquanto praticamente todo o resto do pessoal estava fora. Eu tinha 17 anos quando entrei para a Escola Naval, e me lembro como estava assustado. Se aquilo foi assustador para mim, podia imaginar como devia ter sido chegar a San Diego para aqueles rapazes e moças.

Chamei o meu imediato, o capitão-de-corveta Harley, à minha câmara.

— Qual é o nosso programa de boas-vindas para os recém-chegados? — indaguei.

— Não faço a menor idéia — ele respondeu.

— Bem, então vá descobrir e me apresente um relatório.

No dia seguinte, ele voltou à minha câmara.

— Comandante, as notícias são um pouco embaraçosas. Não fazemos nada para nos preparar para a chegada deles.

— Você tem uma filha de 5 anos de idade — recordei-lhe. — Daqui a doze anos ela pode entrar para a Marinha. Como você gostaria que ela fosse tratada no primeiro dia?

— Gostaria que ela fosse tratada muito bem — respondeu ele.

Todo marinheiro que se reporta a nós é o filho ou filha de alguém. Temos a responsabilidade perante eles de tratar bem os seus filhos. É a nossa obrigação.

— Qual a primeira coisa que você gostaria que ela fizesse se tivesse 17 anos e acabasse de chegar ao navio?

— Eu gostaria que ela telefonasse para casa e me dissesse que chegou bem.

— É isso! Por que não trazê-los à minha câmara para que eles possam ligar para os pais ou o namorado e lhes dizer que chegaram e estão bem? Com as tarifas de telefone do governo, uma ligação de 30 minutos custaria ao Tio Sam apenas 90 centavos de dólar. Serão os melhores 90 centavos que o Departamento de Defesa já terá gasto.

Criamos o nosso programa de boas-vindas a bordo. Descobrimos quem estava para chegar da escola de grumetes, que vôos eles pegariam e os recebíamos no aeroporto para trazê-los ao navio. Uma vez que eu não dormia no navio quando ele estava no porto, o oficial de serviço recebia o novo pessoal no portaló*, dava-lhes um aperto de mão, conduzia-os para a minha câmara e deixava que telefonassem para casa. As suas camas eram arrumadas, os seus nomes estavam nos armários e os melhores marinheiros das suas divisões eram designados para ser os seus "Orientadores", levando-os para uma visita a todo o navio.

Na manhã seguinte, os Orientadores os levavam até a base, mostrando-lhes a academia de ginástica, a piscina, o auditório, a cantina, os postos médico e dentário. Também recebiam as dicas sobre a vida na base — informações privilegiadas que são muito importantes para alguém de 17 anos de idade que acabou de chegar ao novo mundo: quem e o que evitar, e por quê; ou advertências sobre, digamos, lugares aonde não ir à noite, porque poderiam ser atacados ou roubados. Os Orientadores agiam como guias turísticos, mostrando-lhes o Aquário de San Diego e o Hotel del Coronado. Queríamos que esses jovens sentissem como se San Diego fosse o seu novo lar e nós a sua nova família.

Nos primeiros cinco dias de serviço no navio, eles não tinham permissão de se afastar dos seus Orientadores. E nas primeiras 48 horas de trabalho, eles eram recebidos por mim para nos conhecermos. Eu cumprimentava cada um da mesma maneira: "Bem-vindo... É um prazer recebê-lo a bordo do nosso navio".

Além de recepcionar esses novos contratados, o programa também visava contaminar os veteranos estafados com o seu entusiasmo. Quase sempre, um recém-chegado mais extrovertido contribui com um novo colorido a uma cultura um tanto cristalizada que por sua vez se fortalece com esse entusiasmo. Eu queria que os recém-chegados continuassem tão animados que ajudassem a recarregar as baterias daqueles que haviam perdido essa empolgação.

Pense no programa de boas-vindas da sua empresa. Os novatos chegam para o primeiro dia de trabalho e descobrem que não há um computador para trabalharem, o pagamento e os benefícios são atrasados por causa da burocracia e o único funcionário disponível para responder às perguntas deles é do segundo escalão porque o melhor pessoal está ocupado demais? Se for esse o caso, não é de surpreender que eles se tornem descontentes com o trabalho e desmereçam a organização. É o fim do idealismo deles.

---

* Portaló é a parte do convés por onde se entra e sai de bordo. (N.R.)

Eu queria que o ambiente no *Benfold* fosse exatamente o oposto, e era mesmo. Os nossos marinheiros valorizavam os nossos esforços, que eram muito bem recompensados na forma de entusiasmo e autoconfiança da nossa força de trabalho. Depois que as pessoas souberam dele, o nosso programa de Orientadores foi adotado por muitos outros navios de guerra de San Diego. O comandante do nosso esquadrão de contratorpedeiros até mesmo gravou um vídeo sobre o processo de boas-vindas a bordo para os outros navios.

SEJA COMO A MARÉ CHEIA QUE DESENCALHA TODOS OS BARCOS.

Desde a Segunda Guerra Mundial, e possivelmente antes, a Marinha distribuía jaquetas de mau tempo que são feitas de um tecido impermeável de um azul horroroso que não deixa você nem seco nem aquecido. Para os meus marinheiros mais jovens, eles representavam uma verdadeira expressão de mau gosto. Ao navegar pelo site de uma loja de equipamentos náuticos, um marinheiro encontrou uma versão civil que adorou — era feito de tecido Gore-Tex azul brilhante, com faixas refletoras e com equipamento flutuante embutido. Naturalmente, ele me contou a respeito imediatamente. As jaquetas da Marinha custam 150 dólares cada; aquelas custavam 90 e eram superiores em todos os sentidos. Elas mantinham a pessoa aquecida e seca, além de serem mais seguras do que a jaqueta padrão por causa do equipamento de flutuação. E, como um brinde, o nome *"USS Benfold"* podia vir impresso nas costas. Ao contrário do procedimento do Departamento de Defesa americano, esse era mais benefício por menos dinheiro.

— Ótima idéia, pode encomendar — eu disse.

Usamos o cartão de crédito do navio para comprar 310 jaquetas e as distribuímos a todos. A tripulação ficou com um visual bem mais interessante.

No dia seguinte, quando outro navio atracou no píer, os marinheiros viram o nosso pessoal usando as jaquetas. Meia hora depois, o sargento do comando daquele navio veio a bordo para dizer:

— O meu comandante ordenou que vocês parem de usar essas jaquetas.

— Sério? Por quê? — indaguei.

— Nós quase tivemos um motim aqui... a nossa tripulação quer jaquetas iguais às de vocês.

Não fosse o comandante desse navio um dos comandantes mais antigos da Esquadra do Pacífico, eu teria dado uma boa gargalhada diante do seu sargento do comando. De acordo com o protocolo da Marinha, o oficial mais antigo presente é responsável pela segurança no píer, e ele tinha decidido que a segurança no píer estava ameaçada porque os marinheiros dele cobiçavam as jaquetas dos meus marinheiros.

— Por que simplesmente não compram as mesmas jaquetas para o seu pessoal? — indaguei.

— Estão roubando as jaquetas — disse ele. — Antes de atracarmos no porto, recolhemos todas as jaquetas de mau tempo e as guardamos a chave. Não podemos confiar nessa gente.

Que diferença entre navios: nós nunca nos preocupamos com a possibilidade de os marinheiros do *Benfold* roubarem as suas jaquetas. Eles podiam usá-las em casa se quisessem. Na verdade, eles sentiam tanto orgulho das novas jaquetas que nunca as tiravam.

Eu disse àquele cavalheiro que considerava a ordem do comandante dele ilegal e me recusava a obedecê-la. Se ele insistisse, afirmei, eu ficaria feliz em procurar o gabinete do almirante e aceitar uma corte-marcial imediatamente.

Se aquilo foi uma reação exagerada, considerei justificada. Em parte, estava me lembrando de um incidente que ocorrera enquanto eu trabalhava para o Secretário de Defesa Perry.

Os quatro serviços militares usam o orçamento do seu pessoal de maneira diferente. A Força Aérea enfatiza a qualidade de vida: o seu pessoal tem casas maravilhosas, ótimas bases e um excelente plano de saúde. O Exército e os Fuzileiros Navais têm uma atitude praticamente contrária. Uma base muito confortável da Força Aérea poderia ser vizinha de uma base do Exército onde os soldados morem em casebres. Mas isso estava se tornando constrangedor; então, enquanto eu estava no Pentágono, os Comandos do Exército e da Marinha pediram a Perry para tirar dinheiro do orçamento da Força Aérea e dar a eles, de modo que pudessem melhorar as respectivas bases. Ele ponderou o pedido por alguns instantes, depois recusou, dizendo que a meta não devia ser reduzir o padrão de alguns, mas elevar o padrão de todos para o melhor nível possível.

Isso me atingiu como uma lição de sabedoria universal. Agora, em vez de comprar novas jaquetas para a tripulação, o comandante desse navio queria que a minha tripulação parasse de usá-las, e eu não queria deixar que isso acontecesse. Ele poderia ter tentado fazer com que eu fosse despedido, mas essa era uma oportunidade que eu queria aproveitar.

Esse sargento do comando passou a minha mensagem e retornou meia hora depois com uma nova determinação:

— O meu comandante decidiu que vocês podem usar as suas jaquetas.

Esse navio podia ter comprado essas jaquetas, mas nunca o fez. Enquanto isso, a assim chamada "jaqueta do *Benfold*" tornou-se a moda e o comandante do meu esquadrão pediu que entregassem as mesmas jaquetas para os outros cinco navios sob o comando dele.

Ciúme e inveja são emoções fortes e, se nos deixamos influenciar por elas, podem causar problemas graves. Os líderes devem sempre ficar atentos a elas. Um comandante ciumento pode se comportar de uma maneira que iniba e logo paralise os subordinados, que acabam se desinteressando e se desligando. O antídoto reside em tentar fazer as pessoas que trabalham para você sentirem-se necessárias e altamente valorizadas. Ajude-as a acreditar naquele velho truísmo maravilhoso: "A maré cheia desencalha todos os barcos". Com talvez poucas exceções, o sucesso de toda empresa é uma conquista coletiva.

VALORIZE O SEU CHEFE.

Eu não teria sido bem-sucedido agindo como carreirista que gosta de se promover. Nada distancia um chefe mais rápido do que pessoas que sugam, sedentas pelo seu trabalho. A minha atitude era muito diferente: o meu objetivo era ser o melhor integrante da equipe, um servo leal de chefes atormentados, cujas necessidades eu seria capaz de prever antes que eles sequer percebessem que a tinham. Na linguagem empresarial, eu seria um mestre do atendimento ao cliente.

O que mais o meu almirante e o meu comodoro precisavam, concluí, era de um comandante de navio confiante que realizasse o que quer que fosse necessário sem precisar que ficassem fiscalizando tudo. Eles queriam que eu (ou qualquer outro comandante sob o seu comando) fornecesse uma série completa de "o melhor possível" em relação a toda a esquadra. Seríamos o melhor navio em termos de máquinas, o melhor lançador de armamento do tipo *Tomahawk*, teríamos a melhor equipe de busca e salvamento e o melhor índice de retenção de marinheiros experientes. E ainda estaríamos bem abaixo do orçamento previsto.

Parecia importante que eu me antecipasse e cuidasse dessas coisas sem ser provocado ou pressionado. Eu raramente pedia permissão. Simplesmente agia segundo a teoria de que os meus chefes teriam me autorizado a fazer aquilo em benefício deles. Eles queriam que eu cuidasse das coisas sem incomodar ninguém. Eles tinham muito mais crises e problemas com que se preocupar. Se eu mantivesse a minha unidade operacional independente e apresentasse resultados satisfatórios, eles poderiam se concentrar em outros assuntos e fazer melhor o trabalho deles — é exatamente isso o que todo chefe quer, assim como vangloriar-se dos seus direitos.

O meu chefe imediato, o comodoro, era exatamente o começo do que se revelou como sendo um mercado em expansão para os nossos serviços. A situação no Golfo Pérsico oferecia numerosas oportunidades porque a crise com Saddam me trouxe mais clientes — quer dizer, mais chefes: dois outros comodoros e um comandante superior, que por sua vez se reportava a não menos que três almirantes.

A despeito de ser o comandante mais moderno em todo o Golfo Pérsico, eu queria fazer parte do aparato de tomada de decisão. Eu precisava acumular a maior influência possível de maneira a poder conter as políticas estúpidas no seu próprio nascedouro. Estabeleci relações individuais com cada chefe. Por exemplo, o *Benfold* chegou ao golfo três semanas antes do Comandante Bob Moeller chegar para comandar a defesa aérea de toda aquela região, e procuramos nos concentrar em descobrir o que ele precisaria. Enviei-lhe um *e-mail* me apresentando, dizendo que estava à disposição, e sugerindo assuntos sobre os quais ele poderia considerar. Mantendo a correspondência em nível privado, não enviei cópias para os almirantes nem atraí a atenção para mim mesmo. Dessa maneira, Moeller não se sentiu ameaçado; ele compreendeu que eu estava interessado apenas em melhorar a nossa maneira de negociar.

Enquanto ele e o seu cruzador navegavam pelo oceano Índico, enviei-lhe mensagens pessoais dizendo-lhe o que ele poderia esperar quando chegasse ao golfo. Fiz isso para melhorar o nosso processo, não para ganhar crédito. Queria que ele tivesse uma boa impressão e, mais importante, queria ser capaz de influenciar as decisões dele.

Normalmente, os comandantes da defesa aérea fazem julgamentos com base em pouquíssimas informações, mas uma vez que eu tinha cultivado o nosso relacionamento, ele confiava em mim e estava interessado nas minhas opiniões. E ele pediu o meu conselho. Esse modelo funcionou tão bem que ele incluiu os outros comandantes no processo. Como resultado, a eficácia da nossa defesa aérea no golfo aumentou imensamente. Ele foi bem-sucedido e generoso em compartilhar o crédito conosco. Se eu tivesse parecido um intruso ou aparentasse ter interesses pessoais, teria sido posto de lado. Em vez disso, consegui um lugar na mesa quando os meus chefes tomavam as decisões.

A mesma coisa aconteceu com o Comodoro Mike Duffy, que conduzia a operação de busca e salvamento. Ele tinha expectativas extremamente elevadas e compartilhava a sua decepção quando era decepcionado. Ainda assim, ele aprendeu a gostar do *Benfold,* porque tínhamos chegado antes dele no golfo, investigado o quadro de busca e salvamento e muito privativamente enviado a ele idéias interessantes para melhorar o processo. Ele era muito duro e exigente. Nós apresentamos informações honestas de uma maneira não ameaçadora. Se ele ignorava nossas recomendações, não ficávamos ao redor dele. Nós parávamos; o cliente tem sempre razão. Ele começou a valorizar o nosso relacionamento.

Duffy admirou o banco de dados computadorizado do *Benfold,* que acelerava o processo de inspeção nos navios mercantes, distribuiu cópias por toda a esquadra e não contradisse ninguém que afirmasse que a idéia fora dele. Para mim estava tudo bem. Levar o crédito não era o meu objetivo. Eu queria ser conhecido como um bom integrante da equipe, concentrado em melhorar a Marinha — o Indispensável Comandante do USS Imprescindível.

Também fizemos um grande número de amigos agradecidos entre os oficiais do estado-maior — os assessores imediatos dos almirantes, comodoros e comandantes. Os integrantes do estado-maior de qualquer organização têm um trabalho duro: eles estão sob a ameaça de produzir resultados, mas normalmente têm recursos limitados. Ajudando-os em particular, fizemos com que eles se saíssem bem diante dos chefes — uma relação em que todos ganhavam que os levava a elogiar o *Benfold,* o que melhorava tanto a nossa reputação quanto as nossas responsabilidades.

Quando chegamos ao golfo, o Pentágono impôs novas exigências estritas para armar e lançar os mísseis *Tomahawk.* Basicamente, os superiores queriam que o processo fosse mais rápido. Os navios com missões em menor número e mais simples do que o *Benfold* tinham problemas em atingir os novos prazos. Por que nós éramos muito mais rápidos do que todo mundo? Porque os nossos marinheiros sentavam-se juntos, liam todas as publicações pertinentes, aprendiam como todos os equipamentos funcionavam e então imaginavam maneiras inovadoras de atender às exigências. Enviamos uma mensagem de dez páginas para os outros navios explicando os nossos métodos, o que se tornou um procedimento operacional padrão no Golfo Pérsico. Na verdade, toda a Marinha logo os adotou.

Os Estados Unidos e os seus aliados lucraram com o nosso trabalho, mas o maior beneficiado foi o meu chefe, o Vice-Almirante Fargo. Se tivesse sido forçado a dizer ao Pentágono que os seus navios não conseguiam atingir as novas exigências rigorosas relativas aos mísseis, ele na verdade teria ficado mal. Em vez disso, a esquadra dele venceu bravamente o desafio — e isso o deixou extremamente valorizado.

Era nosso hábito assumir a iniciativa e dar aos nossos clientes o melhor serviço imaginável. É por isso que o plano de guerra da Marinha para o golfo designava as missões mais difíceis para nós.

ESPERE O MÁXIMO DA SUA TRIPULAÇÃO E VOCÊ VAI RECEBER O MÁXIMO.

No outono de 1997, estávamos no Golfo Pérsico. Eu estava incrivelmente orgulhoso do crescimento e desempenho da minha tripulação, e tinha numerosas avaliações registradas para prová-lo. Ainda assim, quanto mais eu os conhecia, mais convencido ficava do ilimitado potencial de todos eles.

Quanta força mental a Marinha — ou qualquer empresa que seja — desperdiça porque aqueles que estão no comando não reconhecem o pleno potencial oculto na extremidade inferior da hierarquia? Se parássemos de rotular as pessoas e de tratá-las como se fossem burras, elas teriam um desempenho melhor. Por que, em vez disso, não presumir que todo mundo é inerentemente talentoso e então estimular as pessoas a dar vida a essas expectativas? Será idealismo demais? Ao contrário, foi exatamente assim que o *Benfold* tornou-se o melhor navio de guerra da Marinha americana.

Também é a maneira como os líderes de todos os tipos de empresa podem alcançar novos patamares de sucesso — encorajando o pessoal que trabalha para eles a se expressar tanto no nível pessoal quanto no nível profissional.

O *Benfold* é um navio de guerra cujo objetivo final é a prontidão para o combate. O fato de a organização militar ser um meio a que os jovens recorram para fugir de situações difíceis em casa, como as que envolvem drogas ou gangues, pode representar um desafio especial para alcançar a nossa meta. Embora esses garotos saibam que não querem a vida que deixaram para trás, eles não sabem ainda o que *realmente* querem.

Fazer com que esse pessoal contribua de uma maneira significativa requer um treinamento e uma disciplina prodigiosos. Também requer líderes que os compreendam e valorizem como pessoas. Um comandante que queira fazer isso ganha um navio inteiro cheio de aliados bem-dispostos na busca interminável da prontidão para o combate.

Um dos benefícios secundários de todas as minhas entrevistas olho-no-olho foi o panorama que me deram sobre a vida de cada marinheiro. Nada era mais útil — e tocante — do que saber por que um garoto tinha entrado para a Marinha, e se ele ou ela tinham sonhos ou estavam apenas variando. A maioria dos meus marinheiros nunca tinha recebido esse tipo de atenção. Ninguém em posição de autoridade, que dirá um comandante de navio, nunca se sentara com eles, discutira os seus objetivos e ajudara-os a desenvolver um plano para atingi-los.

Eu logo descobri um fato fascinante: cerca de 50 por cento dos meus rapazes e moças tinham feito a inscrição na Marinha porque os pais não tinham recursos para mandá-los para uma universidade. Eles queriam aproveitar o fato de serem reservistas e economizar algum dinheiro para pagar as despesas quando voltassem para a escola. Quando eu lhes perguntei se tinham feito o trabalho preparatório, 45 deles disseram que nunca receberam o teste de aptidão escolar (SAT, do inglês Scholastic Aptitude Test). Por quê? Porque os seus conselheiros vocacionais, professores e pais tinham decidido que eles nunca conseguiriam ir para a faculdade.

Tocado por isso, orientei o meu imediato a encontrar um administrador do SAT e trazê-lo de avião e helicóptero para o navio. Como de costume, ele me olhou como se eu tivesse um buraco na cabeça. Mas de qualquer modo ele conseguiu e na tarde de sábado, a uns 50 quilômetros ao sul do Iraque, 45 dos meus marinheiros fizeram o SAT. Quando chegaram os resultados, uma das moças tinha um resultado combinado de

1490 pontos, bom o suficiente para entrar na maioria das faculdades da Ivy League, as melhores dos Estados Unidos. Ela certamente teve uma pontuação maior do que a minha quando entrei em Annapolis, e eu fiz o teste duas vezes.

A resposta à nossa sessão com o SAT foi tão boa que ganhamos vantagem do programa da Marinha que capacitava os marinheiros a fazer cursos universitários via CD-ROM — eles estudavam a lição, faziam um exame e redigiam um trabalho que enviavam para o instrutor. Logo eu tinha mais de uma centena de marinheiros inscritos. Outros 68 fizeram cursos de atualização em matemática assim como de inglês preparatório para a faculdade, que o seu colegial deixara de lhes proporcionar.

Eu estava convencido de que, se eles permanecessem na Marinha ou não, todo aquele aprendizado levaria a aumentar a nossa participação na sociedade. Para a minha surpresa, aconteceu de os meus marinheiros continuarem fazendo outros testes — testes de adiantamento da Marinha — e o *Benfold* logo tinha um índice de promoção duas vezes e meia superior à média da Marinha. Ao melhorar a capacidade de todos, a tripulação conseguia realizar todo tipo de coisa. Nós desafiávamos a mente deles, o que tornou a vida a bordo do navio mais divertida. Eles aumentaram as suas chances fazendo um bom trabalho na economia civil, eliminando do seu futuro o espectro de fritadores de hambúrgueres. E eles claramente enriqueceram os centros de conhecimento do navio, o que por sua vez aumentou a nossa prontidão.

Eu sei que os negócios são difíceis, e os chefes não têm tempo ou recursos para proporcionar orientação de aconselhamento para funcionários problemáticos ou menos privilegiados. Todo gerente e toda empresa tem limites que deve respeitar e dentro dos quais deve operar. Mas, por favor, considere a minha experiência com cuidado. Uma boa parte dela é atitude e postura organizacional. Tudo o que você possa fazer para compreender o seu pessoal, apoiá-lo nos tempos difíceis e alimentar os seus dons vai trazer benefícios para o seu objetivo final.

FORME UM GRUPO
FORTE E ENTROSADO.

Quando assumi o comando do *Benfold,* descobri que a política de costume era ter apenas um tripulante capaz de executar cada tarefa: para cada tarefa, uma pessoa. Em conseqüência disso, para cada posto essencial tínhamos apenas um especialista. Na verdade, era como se eu fosse mantido refém do pessoal estratégico do navio. Se algum deles saísse por algum motivo, eu teria de me virar para conseguir a tarefa realizada, e provavelmente realizada não muito bem. Era extremamente desconcertante.

Eu comecei treinando reservas de imediato e mantive esse costume ao longo dos dois anos em que estive a bordo do *Benfold.* Nem todo mundo gostava dessa minha postura, mas para mim não era prioritário que gostassem de mim.

A viagem de volta a San Diego a partir do Golfo Pérsico levou seis semanas, e a tripulação resolveu fazer uma viagem de descanso e recuperação, uma vez que todos tinham trabalhado duro nos últimos cem dias. Compreensivelmente, as pessoas visualizavam um cruzeiro de lazer que parasse de porto em porto, ao longo do caminho. Nas primeiras 24 horas, permiti que prevalecesse esse humor: relaxamos, tivemos uma refeição ao ar livre e simplesmente nos espalhamos. No dia seguinte, retomamos a seqüência de treinamento, usando um novo programa criado para apressar o processo de aprendizado.

Fazíamos exercícios todos os dias. As pessoas resmungavam, mal-humoradas. Elas achavam que era direito delas não fazer nada no trajeto de seis semanas de volta para casa. Fiz saber a todos que o treinamento intenso era imperioso, e ponto final. Disse-lhes que havia uma escolha — poderíamos fazê-lo agora ou na chegada a San Diego, quando eles prefeririam muito mais ir à praia com a família — e eu tinha escolhido naquele momento.

Não só mantivemos as nossas habilidades em forma, mas também começamos a treinar equipes de terceira, quarta e quinta linha. Quando uma equipe se tornava competente, púnhamos a segunda; quando aquela equipe aprendia, vinha então a terceira. Logo, eu estava com quatro ou cinco especialistas de reserva em praticamente todos os postos do navio.

O treinamento multifuncional tornou-se o nosso mantra. No momento em que chegamos a San Diego, tínhamos marinheiros jovens, mal saídos da escola de grumetes, fazendo tarefas de primeiros-sargentos com vários anos de serviço, e fazendo-as bem. Por preparar as pessoas para prosperar na carreira e aceitar mais responsabilidade, o treinamento multifuncional elevou o moral. Ensinar a todos o que os companheiros de bordo faziam melhorou a capacidade de trabalho e o ânimo da equipe. O resultado foi um ganho imenso para o navio.

De volta a San Diego, permanecemos atracados por trinta dias enquanto os marinheiros tiravam quinze dias de folga, metade da tripulação de cada vez. Então rumamos novamente para o mar, para uma comissão de treinamento de três semanas monitorada por uma equipe de especialistas de fora. O trabalho deles era avaliar a nossa aptidão para o nosso desdobramento em formação de batalha. Os navios, ao que parece, são sempre avaliados.

Em vez de pôr a nossa primeira ou segunda equipe nos postos a serem observados, colocávamos a nossa terceira ou quarta linha de substitutos de reserva. Essas pessoas eram o nosso futuro, provavelmente para permanecer no navio pelos próximos quatro ou cinco anos. Portanto, era algo muito compensador para nós mostrar aos especialistas como eles desempenhavam bem as tarefas.

E eles desempenharam mesmo. De acordo com os assessores, as nossas equipes de terceira e quarta linha eram melhores do que 90 por cento das equipes de primeira linha dos outros navios. Os assessores ficaram impressionados com a competência e aptidão do *Benfold,* tanto a curto quanto a longo prazo, e disseram que era evidente que havíamos dedicado um empenho gigantesco no treinamento. Para mim, foi um alívio total — o esforço valera a pena.

A minha tripulação sentia um alívio diferente. Eles simplesmente estavam gratos por ter acabado.

ACONSELHE CONTINUAMENTE — E HONESTAMENTE.

Uma das tarefas mais difíceis de qualquer gerente é aconselhar os seus funcionários durante a avaliação anual ou semi-anual. As avaliações anuais da Marinha podem definir ou encerrar uma carreira. O que funcionava melhor para mim era aconselhar continuamente o pessoal que eu iria avaliar.

Infelizmente, precisamos classificar hierarquicamente todo mundo em relação aos seus pares, o que pode fazer com que os que são classificados em posição inferior fiquem ressentidos. O meu conselho é deixar de lado as suposições e fazer com que as pessoas conheçam os critérios pelos quais serão avaliadas; assim não são pegas de surpresa. Deixar de fazer essa preparação causa apenas sofrimento e descontentamento.

No caso dos meus gerentes intermediários, os meus oficiais, suboficiais e primeiros-sargentos, estabeleci diretrizes claras e concisas com relação ao que eu esperava deles. Disse-lhes que esperava que fossem especialistas nos seus respectivos campos de atuação e que verificaria se de fato eram ou não. Além do mais, eu esperava que eles apresentassem um projeto ou dois para melhorar a qualidade de vida do navio, ou um processo militar que afetasse a organização como um todo. A meu ver, quando as pessoas vêm os colegas da mesma faixa etária empreendendo grandes projetos, entendem que fazer o mesmo lhes confere uma avaliação superior. É puramente uma questão de ambição de cada um. Se você quiser subir na escada profissional, precisa fazer mais do que a sua tarefa específica; precisa fazer coisas que afetem a vida das outras pessoas da organização.

O segredo da avaliação bem-sucedida é saber se o seu pessoal se surpreende ou não no dia que você lhes apresenta a sua nota. Se eles se surpreenderam, então com certeza você não fez um bom trabalho em preparar a expectativa deles e dar um retorno ao longo de todo o ano. Se você expressa as suas expectativas e dá um retorno de maneira contínua ao longo de todo o ano, então irá minimizar, se não eliminar, a surpresa das pessoas quando lhes der a sua avaliação final.

Dê um retorno consistente a intervalos regulares ao longo do ano, formalmente a cada trimestre, mas também como parte da rotina diária. Sempre que as pessoas fizerem um ótimo trabalho, deixe que saibam disso. Sempre que deixarem a desejar, não permita que piorem cada vez mais até o fim do período de avaliação; eu deixo claro o que penso imediatamente. Mais do que tudo, o seu pessoal valoriza a sua honestidade. Até mesmo se estiverem executando mal alguma tarefa, é melhor abrir o jogo no início do processo de modo que tenham tempo para se corrigir. Este é o segredo de ser um bom líder: aconselhamento contínuo e honestidade coerente.

Ninguém gosta de ser envolvido numa situação adversa ou de confronto, mas de tempos em tempos isso é inevitável. É por isso que somos bem pagos. Não tente se esconder atrás de ninguém. Assuma a sua responsabilidade.

Quando chega a hora de informar aos piores operadores de que, na realidade, é isso o que eles são, descobri ser eficaz perguntar a eles como eles classificariam o próprio desempenho. A maioria reconhece que em relação aos próprios pares, estão na base da curva.

Toda vez que tive operadores deficientes, sempre apresentei um plano de trabalho para que pudessem melhorar. Eu os chamo para conversar, conto-lhes quais são os seus problemas, o que eles precisariam fazer para corrigi-los e ofereço treinamento se precisarem. Então lhes dou um prazo no qual espero que tenham as suas deficiências corrigidas. Se necessário, deixo claro desde o início o que acontecerá se não conseguirem.

Eu tenho orgulho de não ter demitido ou transferido ninguém, mas estava preparado para fazê-lo se fosse o caso. Todos os gerentes devem estar prontos para afastar os maus funcionários, mas apenas depois de ter-lhes dado uma oportunidade; você deve ser receptivo e honesto com eles, esclarecer-lhes as deficiências e como podem superá-las. E finalmente, deve deixar claro qual será a punição: o que acontecerá se eles não tratarem desses problemas no momento oportuno.

Passei por esse processo com o capitão-tenente Jason Michal, que foi para o *Benfold* como chefe de máquinas, um dos postos mais decisivos no navio. Ele era imensamente talentoso e tinha sido chefe de máquinas do USS *Reid*, no qual conquistara a reputação de cuspidor de fogo. Eu estava muito preocupado com ele, porque não queria que ele estragasse o clima que tínhamos criado no navio.

Primeiro eu lhe dei uma folga: uma vez que ele tinha passado o Natal anterior longe da família porque estava na formação estratégica no Golfo Pérsico, modifiquei o treinamento dele e deixei que passasse o Natal em casa e nos encontrasse na Austrália. O oficial que ele estava substituindo estivera no *Benfold* durante três anos e fora movimentado. O chefe de máquinas pode ter a função mais árdua dos cinco chefes de departamento, e a sua comissão está prevista para ser de dezoito meses apenas. Como a Marinha estava com uma falta crítica de maquinistas na ocasião, a duração da comissão saltou para 36 meses. O maquinista anterior queria desesperadamente obter um grau de mestre na Escola de Pós-graduação da Marinha em Monterey, Califórnia; o curso começava em setembro e ele precisava estar lá se quisesse fazê-lo. Muito embora aquilo significasse que eu ficaria no mar por quase cem dias sem um chefe de máquinas, decidi arriscar e deixei-o ir em setembro, embora Jason Michal não chegasse até depois do Natal. A maioria das pessoas pensaria que eu estava louco. Mas eu decidi que era a coisa certa a fazer. O benefício agregado era que aquilo me permitiria confiar a um segundo-tenente, Tom Holcomb, o cargo de chefe de máquinas interino. Nunca se ouvira falar na Marinha de um segundo-tenente que estivesse numa posição como essa, e Tom fez exatamente o que eu pensava que ele faria. Ele aproveitou a oportunidade e fez um trabalho magnífico. A gratificação? Quando Jason finalmente chegou, eu tinha dois oficiais plenamente capazes de ocupar o posto.

Quando Jason apareceu na Austrália, veio me ver em duas horas. Ele anunciou que não concordava com o meu estilo de liderança, que ele não trabalhava com maquinistas porque eles precisavam ser chutados no traseiro em vez de ser liderados. Ele disse que não poderia trabalhar nas condições do *Benfold*.

Aquilo me deixou alarmado. Não podia acreditar que alguém tivesse a audácia de dizer uma coisa dessas logo no primeiro dia, exatamente em relação ao trabalho. Depois de me recobrar do choque, eu lhe disse que, ah, sim, ele poderia alcançar aqueles resultados nesse navio, e que eu esperava dele exatamente isso. Também lhe disse o que lhe aconteceria se não o fizesse: eu o chutaria para fora do navio, com um relatório de aptidão que o enviaria para recondicionar motores nas ilhas Aleutas.

Aquilo chamou a atenção dele, mas ele precisou de algum tempo para compreender e acreditar que o que tinha escutado era realmente de verdade. Ele estava no navio havia cerca de uma semana quando sofremos um problema importante nas máquinas. Quando ele correu para o Centro de Controle da Máquina, não encontrou oficiais nem primeiros-sargentos ali. Por tradição, qualquer problema pode ser resolvido se você atirar oficiais e sargentos sobre ele. Ele determinou aos seus dois assistentes mais graduados, o primeiro-sargento Mike Nail e o segundo-tenente Tom Holcomb, para apresentarem-se a ele, e quando eles o fizeram, ele os repreendeu por não estarem lá numa emergência.

O sargento Nail contou-lhe como as coisas funcionavam no *Benfold*, e que a tripulação era responsável pelo trabalho que fazia.

— E o que o senhor quer que eu faça, conserte sozinho? — Mike perguntou. — É para fazer isso que pagamos a essas pessoas. Nós as treinamos.

Elas podem consertar. Seria desmotivador para elas se eu tivesse de ir lá e consertar todos os defeitos. Também nunca as prepararia para o sucesso.

Jason Michal ficou chocado que o seu supervisor falasse com ele daquela maneira. Ainda mais chocante foi o fato de que alguns dos marinheiros menos graduados no departamento consertassem uma falha importante. O mundo dele estava de cabeça pra baixo também, porque eu não o pressionava exigindo informes da situação a cada cinco minutos. Eu não precisava pressionar porque sabia que os maquinistas sentiam-se responsáveis pelo navio e fariam o melhor possível para consertá-lo. Eles sabiam que eu estava preocupado e queria ser informado, mas também sabiam que eu esperaria até eles me dizerem.

Jason diria que aquela foi uma das maiores lições que ele aprendeu. Ele começou a compreender que era possível realmente liderar os maquinistas e tratá-los com respeito. E ele tornou-se um dos melhores oficiais e líderes que eu já conheci. Não tenho nem palavras para expressar o líder fenomenal que ele se tornou.

CAPÍTULO DEZ

ESTIMULE A UNIÃO

Uma das minhas tarefas mais difíceis era fazer as pessoas compreenderem que estávamos todos (e neste caso literalmente) no mesmo barco. Ou ajudávamos uns aos outros ou o barco todo estaria com um problema crítico do qual ninguém conseguiria escapar.

Uma das coisas mais duras para as organizações é conseguir que as pessoas deixem de lado as diferenças pessoais e trabalhem para o bem de todos os envolvidos. De que me adianta ter o melhor departamento de armas de qualquer navio da Marinha se os motores não conseguem fazer os propulsores girarem e nos levar para a batalha? Se for esse o caso, estamos num dos piores navios. A tarefa do líder é reunir a melhor equipe possível, treiná-la, depois descobrir a melhor maneira de fazer com que os integrantes dela trabalhem juntos para o bem da organização.

Depois de acompanhar o Secretário de Defesa por cerca de um ano, retornávamos de uma viagem ao exterior e estávamos comentando sobre o que tínhamos realizado na vida. Eu reuni a coragem de perguntar por que ele havia me contratado.

— Por que o senhor me escolheu entre aqueles outros candidatos mais qualificados? — indaguei.

O dr. Perry respondeu:

— Mike, estou no governo e nos negócios há mais de quarenta anos. Posso contratar as melhores pessoas que existem. Mas descobri que o que funciona melhor é um grupo que trabalha em conjunto e em que todos apóiam uns aos outros. O grupo decidiu que você era aquele com quem todos gostariam de trabalhar.

Talvez o obstáculo mais traiçoeiro na formação de uma unidade coesa também seja o segredo mais bem-guardado dos militares americanos: a sua incapacidade para acabar com a discriminação racial e sexual. Ao contrário das esperanças e dos alardes do Pentágono, o racismo persiste e a hostilidade sexual é uma pandemia em praticamente todas as unidades militares, na terra, no mar e no ar. Na verdade, isso não deveria ser surpresa. Os militares, como qualquer organização, refletem a cultura mais ampla de que fazem parte.

Tratar as pessoas com dignidade e respeito não é apenas moralmente correto, mas também altamente prático e produtivo. A união tornou-se o objetivo fundamental do meu modelo de liderança. Alcançamos essa meta porque aprendemos como fazer as pessoas quererem pertencer ao nosso clube de 310 integrantes, prontas a dar o melhor de si para um navio onde se praticava uma justiça que os valorizava, não importava qual a sua cor de pele ou o seu sexo.

ESQUEÇA A DIVERSIDADE.
EXERCITE A UNIÃO.

Pouco depois de ter assumido o comando do *Benfold,* decidi descobrir até que ponto o clima no navio era desagradável. Decidi ler a parte de uma pesquisa que tratava do que as pessoas de diferentes grupos étnicos pensavam umas sobre as outras. No espírito de endossar igual oportunidade, essas pesquisas obrigatórias fazem parte do relatório de situação que um comandante ao sair apresenta ao seu sucessor.

Perguntei sobre os resultados. Acontece que eles não lançavam uma luz muito favorável sobre um aspecto das operações do navio. Assim sendo, ninguém gostava muito de comentar sobre a pesquisa. Mas pela minha própria experiência em gestão, embora as boas notícias nos animem, são as notícias negativas que nos fazem aprender e ajudam a melhorar o nosso desempenho no trabalho.

Entre as diversas questões levantadas, uma das mais importantes tratava das opiniões dos marinheiros. Algumas mulheres achavam que existia hostilidade sexual no navio, algumas minorias achavam que existia preconceito racial e alguns homens brancos até mesmo achavam que havia favoritismo em relação às mulheres e às minorias. Eis aí uma trinca de problemas difícil de resolver.

A minha primeira providência foi cancelar o nosso curso de treinamento sobre a diversidade. Poderia ter sido despedido por isso, mas segundo o meu ponto de vista era senso comum que qualquer curso que produzisse resultados tão ruins era evidentemente ineficaz. Eu não tinha a intenção de permitir nada ineficaz no *Benfold*.

No lugar dele eu coloquei um treinamento sobre união, concentrando-me nas semelhanças entre as pessoas e nas nossas metas comuns, em vez de nas diferenças. A união começa pelo reconhecimento de interesses comuns. Um navio de 310 pessoas que parecesse e agisse exatamente como eu provavelmente seria um dos piores navios da história da marinha. Se você se cerca de pessoas exatamente como você, está arriscado a ter um único pensamento de grupo, em que ninguém tem criatividade para sugerir novas idéias. A meta não é criar um grupo de clones, fabricados culturalmente para imitar uns aos outros. Em vez disso, a união tem a ver com maximizar as diferenças e canalizá-las no sentido das metas comuns do grupo. Com muita freqüência, as pessoas defendem a sua individualidade como uma desculpa para fazer o que quiserem, no momento em que quiserem. Essa não é uma fórmula para o sucesso nem na batalha nem nos negócios. Conforme observou Benjamin Franklin quando desafiou os britânicos e assinou a Declaração de Independência americana, em 4 de julho de 1776, "Devemos realmente permanecer unidos ou, sem dúvida nenhuma, vamos todos sofrer as conseqüências da desunião".

Sob certos aspectos, baseei o treinamento sobre a união no exemplo formidável do time do Washington Redskins, que em 1996 colocou em campo uma mistura de jogadores talentosos, muito bem pagos, que pareciam os campeões do Super Bowl*, mas venceram apenas uns poucos jogos em toda a temporada. Passando rapidamente para o ano 2000: os Redskins tinham os salários mais altos da liga nacional de futebol americano, mas ainda assim não conseguiram marcar pontos compatíveis. O que eu queria era o que os Redskins precisavam e Franklin inspirou: uma equipe de pessoas altamente talentosas que jogassem como se fossem uma só pessoa.

O treinamento para a união era um dos poucos programas que decidi não delegar; eu o conduzi pessoalmente. Cheguei a cada uma das 24 divisões do navio e lhes disse como eu me sentia. Primeiro, não havia espa-

---

* O campeonato de futebol americano. (N.R.)

ço para preconceito racial ou sexual no *Benfold*. Negar a existência desses preconceitos seria tolice, mas deixar que essas atitudes fossem demonstradas no meu navio era um anátema a tudo o que o navio simboliza e terreno para ação disciplinar imediata e severa. Também lidero exatamente com esses mesmos valores. Com muita freqüência, as nossas palavras dizem uma coisa e as nossas ações outra muito diferente.

Não existe essa coisa de um campo de jogo verdadeiramente no mesmo nível, disse a eles, mas vamos trabalhar o máximo possível para tornar o nosso o mais justo possível. Todo mundo tem pontos fortes e pontos fracos; ninguém é perfeito, incluindo o comandante. Eu aplaudiria os pontos fortes e os ajudaria a superar os seus pontos fracos, mas acima de tudo, queria que eles tratassem uns aos outros com dignidade e respeito. E embora todos nós quiséssemos vencer em tudo o que fazíamos, o mais importante era *como* venceríamos — se o faríamos de uma maneira que nos deixasse orgulhosos ou envergonhados, engrandecidos ou inferiorizados. E se eu pudesse me orgulhar de tudo o que fizesse, eu lhes disse, o mesmo poderia acontecer com eles, o que faria do *Benfold* um grande navio. Nas minhas entrevistas com a tripulação, eu também perguntava se existia algum tipo de hostilidade sexual ou preconceito racial sendo expressos a bordo. E quando ouvia falar sobre uma ocorrência, agia imediatamente. Se você não pretende agir, então não se incomode em perguntar se está acontecendo. Só vai piorar as coisas.

Um fator complicador, que vai tomar anos para ser superado, é que o corpo de oficiais da Marinha é composto de uma maioria esmagadora de brancos do sexo masculino, ao passo que as praças tanto do sexo masculino quanto do feminino incluem negros, latinos, asiáticos americanos e outras minorias. Inevitavelmente, esse também era o caso do *Benfold*. Essa é a luta com que toda instituição se defronta. Felizmente, a maioria das organizações estão finalmente acordando para o fato de que a gestão precisa refletir a constituição da força de trabalho.

Esse não é um ideal visionário, mas um fato concreto e frio dos negócios. As pessoas precisam saber que os seus interesses estão sendo representados na cúpula. Mais importante, as pessoas precisam de modelos de comportamento positivos, como William Perry foi para mim. É ingênuo presumir que a raça e o sexo não têm um papel importante na determinação de quem são os nossos modelos de comportamento. Existem numerosos navios na Marinha hoje em dia em que o corpo de oficiais é constituído inteiramente por brancos do sexo masculino. Esse único fato impede esses navios de ser tão bons quanto possivelmente poderiam ser. Eu fui extremamente afortunado pelo fato de que o gerador aleatório de pessoal na Diretoria de Pessoal da Marinha me apresentasse um corpo de oficiais, suboficiais e de sargentos antigos que refletia a constituição da tripulação. Ele inspirou os tripulantes a pensar que aqueles postos eram possíveis para eles.

Pouco a pouco, a tripulação começou a aceitar o meu ponto de vista, especialmente quando me viram sustentando as minhas palavras com ações. Começamos a melhorar um pouco. E eu continuei percorrendo o navio, fazendo perguntas à tripulação, motivando a todos. Sou do tipo de pessoa que acha que devemos expressar os nossos ressentimentos e queixas, pois assim eles podem causar menos prejuízos.

Essas conversas ajudavam e assim também os meus esforços para deslocar os comportamentos entranhos que derivam da hierarquia militar. Com gestos como acompanhar as praças nos almoços ao ar livre, almoçar uma vez por semana com a tripulação no rancho e assegurar que os VIPs visitantes conversassem com a tripulação, tentei mostrar aos oficiais que em termos humanos estávamos todos no mesmo barco, e cada pessoa era indispensável para a união da equipe do *Benfold*.

Para mim, o treinamento sobre a diversidade meramente tornara o meu pessoal mais consciente das suas *diferenças*. O nosso treinamento sobre a união concentrava-se nos interesses *comuns* e nos motivos positivos para valorizar os outros em vez de uma proibição de cima para baixo contra desvalorizá-los. Era a diferença entre ser recompensado por bom comportamento e ser punido por mau comportamento. Nesse caso, a recompensa era tornar-se um acionista pleno da comunidade do *Benfold,* com todos os direitos e privilégios que a associação traz.

A recompensa estava refletida nas nossas pesquisas sobre oportunidades iguais. Quando eu parti, apenas 3 por cento das minorias a bordo reportavam algum tipo de preconceito racial, e apenas 3 por cento das mulheres relataram hostilidade sexual. É claro que 6 por cento ainda é muito, mas era uma melhora considerável sobre a porcentagem esmagadora que anteriormente retratava favoritismo, hostilidade sexual e preconceito racial.

O *Benfold* tornou-se um navio mais esclarecido, mas não porque eu tenha feito longas palestras advertindo os marinheiros contra os seus preconceitos raciais e sexuais. As pessoas mudaram porque provamos os benefícios que isso trouxe à comunidade. Elas mudaram porque, no seu íntimo, esses marinheiros queriam e precisavam pertencer a um time que se preocupava com os seus integrantes no mínimo tão bem quanto se preocupava com o seu equipamento de último tipo. Na maioria dos casos, esses sentimentos nunca foram expressos no *Benfold* até que eu falasse sobre eles. Articular os sentimentos sobre os quais o seu pessoal tem receio de falar é uma grande parte do que os líderes, incluindo comandantes de navios, fazem profissionalmente.

ATRIBUA AS PUNIÇÕES COM RIGOR, MAS DE MANEIRA JUSTA.

Três meses depois de assumir o comando, antes de começar os meus esforços para eliminar o racismo e o sexismo a bordo, tive um caso disciplinar que se transformou no cadinho para o meu curso de treinamento sobre a união. Estávamos em Bahrein quando ocorreu um caso muito grave de racismo.

Alguns dos meus marinheiros estavam voltando num ônibus da Marinha de uma noitada regada a bebidas na base. Dois marinheiros negros estavam cantando em voz alta uma canção de *rap* que incluía a palavra "preto". Dois marinheiros brancos os mandaram calar a boca porque, de acordo com os marinheiros brancos e outros no ônibus, eles estavam incomodando todo mundo. Eles não pararam. Quando todos saíram do ônibus, trocaram palavras ásperas por todo o caminho de volta para o navio, com um dos marinheiros brancos usando a palavra "preto". Então uma grande briga começou no alojamento, durante a qual um marinheiro ameaçou matar outro. Finalmente, treze pessoas se envolveram ao tentar apartar a briga. Os dois negros e um marinheiro branco foram acusados de atacar.

Para mim, esse foi um acontecimento de central importância. Como o líder numa crise, eu sabia que todos na organização estavam me observando bem de perto, procurando sinais de que eu revelaria quais eram as minhas prioridades. Cada ação de um líder é sempre esmiuçada, e eu sabia que tudo o que eu fizesse nesse caso mais difícil rapidamente se espalharia por todo o navio. Eu sabia também que as minhas atitudes influenciariam o comportamento da tripulação assim como a cultura do navio durante meses, se não por mais tempo.

Como comandante do navio, eu era de muitas maneiras o tribunal de última instância. Quando uma pessoa da Marinha quebra uma regra ou regulamento importante, ela está cometendo uma violação do Código Disciplinar da Justiça Militar, o equivalente na Marinha à legislação criminal civil. O acusado é colocado em um relatório e levado perante o comandante para uma "audiência oficial", em que o comandante serve como juiz, júri e executor. Depois de uma investigação para determinar os fatos, o comandante assume a direção, e estou dizendo isso mesmo, assume a direção.

É o comandante apenas que interroga o defensor, questiona as testemunhas, determina a culpa ou inocência, e decide pela absolvição ou condenação. Como punição, o comandante está autorizado a pôr os meliantes para fora da Marinha, enviá-los a um tribunal militar superior em terra, detê-los no navio com serviços pesados por 45 dias, cortar o seu soldo pela metade por dois meses, rebaixá-los na hierarquia ou até mesmo pô-los a pão e água na prisão por três dias.

Em si, o poder do comandante é adequado. Os comandantes sempre precisaram de poderes autocráticos para lidar com marinheiros amotinados. E para os marinheiros em perigo no mar, ter alguém claramente no comando tende a ser confortador.

A questão, é claro, é se o comandante é capaz de usar esse poder de maneira a ganhar o respeito e a confiança da tripulação. Nem tiranos nem trouxas têm a menor chance. Os melhores comandantes misturam justiça com força, e eles aprendem com a vida, não só nos livros.

Nesse caso em questão, os dois marinheiros negros haviam se metido em confusão anteriormente. No início da minha carreira, antecedentes disciplinares múltiplos teriam sido suficientes para expulsá-los da Marinha imediatamente. Dessa vez, contudo, indaguei ao Sargento Scheeler o que ele me diria sobre aqueles marinheiros para me ajudar a compreender por que eles haviam agido daquela maneira.

Fui informado de que eram ambos da cidade de Detroit. Um tinha o pai na prisão e o outro nunca conhecera o pai. A mãe dos dois vivia do seguro social. Isso não os desculpava, mas dava um outro colorido aos acontecimentos — e me dava uma oportunidade. Pensei na minha própria infância, educado por um pai e uma mãe carinhosos numa cidadezinha do interior da Pensilvânia. Parecia claro que nenhum daqueles dois jovens tivera um modelo masculino de comportamento a imitar, e comecei a imaginar se eu poderia controlar a situação de uma maneira que lhes oferecesse uma experiência diferente. Isso dependeria do comportamento deles e do que eu ficasse sabendo e fizesse na audiência inicial.

Até ali, todos os envolvidos tinham mentido. Os marinheiros brancos não queriam admitir que um deles murmurara a palavra "preto" no confronto, e os marinheiros negros não queriam admitir que tinham usado a palavra também como parte da música de *rap*. Eu precisava da verdade, assim procurei fazer com que a transpirassem — literalmente.

A audiência aconteceu em um compartimento muito pequeno para as seis testemunhas que estavam envolvidas no acontecimento. Eu desliguei o ar-condicionado e comecei a fazer as perguntas. Foi ficando quente, e cada vez mais quente. Três horas mais tarde, um marinheiro não agüentou e me contou exatamente o que tinha acontecido. Depois que o dique se rompeu, todo mundo se abriu.

Perguntei aos dois marinheiros negros se eles queriam continuar na Marinha.

— Sim, senhor, sem dúvida nenhuma — cada um deles respondeu.

— Muito bem — eu disse. — Vou dar uma oportunidade a vocês, apenas se quiserem ficar. Mais uma violação, no entanto, e vocês serão afastados da Marinha.

O marinheiro branco era *punk*, e eu surpreendi a todos no compartimento chamando-o assim. Por mim, ele poderia ter evitado todo aquele drama infeliz, e eu queria que todos naquele navio soubessem que eu sabia disso. Queria que eles soubessem que eu esperava que as pessoas fossem embora se quisessem. Sentenciei-os e ao marinheiro branco que se envolvera na briga à punição máxima, menos a desonrosa expulsão: deixei-os restritos ao navio por 45 dias, dei-lhes 45 dias de trabalho adicional e cortei-lhes o pagamento pela metade por dois meses.

O processo como um todo foi exaustivo. Nada no meu treinamento jamais me preparara para isso. Eu estava num território completamente desconhecido e sabia que aquele caso poderia decidir ou interromper a minha jornada como comandante. Voltei para a minha câmara completamente exausto e banhado em suor. Sentia que tínhamos acabado de atravessar um campo minado. A exemplo de grande parte das pessoas negras na sociedade civil, os integrantes negros da tripulação achavam que estavam sendo vítimas de discriminação. Sem que eu soubesse na ocasião, aquele seria o último procedimento disciplinar envolvendo um negro do sexo masculino nos 27 meses seguintes, marcando um declínio dramático nas transgressões. Poderíamos ter uma política que dissesse "feche os olhos para todas as violações cometidas por negros do sexo masculino"? Dificilmente. Na verdade, apertamos os padrões para todos.

O que explica o impressionante declínio? A união e o fato de que os nossos valores determinaram a nossa conduta. Aqueles jovens negros no *Benfold* estavam ali também antes da minha chegada. Só agora eles tinham um nível de tratamento o mais igualitário possível. Em vez de restringir as pessoas, nós as fortalecemos. E oferecemos um modelo positivo para todos imitarem.

Reuni-me com o Sargento Scheeler.

— Acabei de dar uma "prensa" naqueles três marinheiros — informei. — Agora é o seu trabalho começar a fazê-los se recuperar. Quero que conserte aqueles garotos.

O Sargento Scheeler chamou os três à sua sala e disse:

— Querem saber de uma coisa? Vocês estão na lista negra do comandante. Podem continuar nela e sofrer as conseqüências, a escolha é sua. Ou podem sair dela e tornar-se cidadãos responsáveis, e nesse caso eis aqui o que precisam fazer.

Ele acompanhou os dois marinheiros negros diariamente, enquanto o primeiro-sargento John Rafalko e a suboficial Janice Harris supervisionaram o marinheiro branco. Ambos gastaram uma imensa quantidade de tempo orientando-o e servindo de exemplo para ele. Esse processo de acompanhamento e aconselhamento foi tão bem-sucedido que entrou na lista como medida preventiva para todo tripulante que estivesse prestes a envolver-se em problemas.

Uma noite no mar, avistei os dois marinheiros que o Sargento Scheeler estava supervisionando, então pedi ao Scheeler para me acompanhar num desafio aos dois para um jogo no rancho depois do jantar. Naturalmente, eles aceitaram. As pessoas que passavam pelo rancho ficavam perplexas quando viram nós quatro sentados a uma mesa, jogando baralho. Demos àqueles jovens a posição de homens feitos e estávamos dando a mensagem do nosso perdão e aceitação. Senti que era um privilégio para mim ajudar àqueles rapazes. Eles deram a volta por cima e tornaram-se verdadeiros astros entre os seus colegas. Ambos foram promovidos e continuam a sair-se bem. É possível que se eu os tivesse expulsado da Marinha, eles tivessem acabado numa penitenciária. Um ano depois, o marinheiro branco pediu-me para realistá-lo num outro período na Marinha. Eu estava sentado na minha cadeira na asa do passadiço e lhe perguntei se poderia ter imaginado isso um ano antes quando o chamara de *punk*.

— De jeito nenhum — respondeu.

Mas ele não era mais *punk*. Havia amadurecido e se tornado um ótimo rapaz.

Essa experiência me ensinou — e a toda a tripulação, espero — duas lições valiosas. A primeira foi sobre a importância de levar em consideração os antecedentes e as circunstâncias das pessoas antes de aplicar um julgamento sobre elas. Nem todo mundo parte da mesma posição, mas com alguma compreensão e um pouco de orientação, a maioria das pessoas deixadas para trás rapidamente aproveita a oportunidade. A segunda foi sobre a importância de ajudar aqueles que cometem um delito a se tornarem cidadãos melhores, em vez de descartá-los, como a nossa sociedade faz na maioria das vezes. O esforço que investimos nas construções de prisões devia ser usado para redimir as pessoas.

Eu estava determinado a me afastar da mentalidade de tolerância zero que, na minha opinião, é um câncer que vem se espalhando por inúmeras organizações, incluindo as militares. Queria que as pessoas que cometessem falhas no meu navio soubessem de duas coisas: primeira, elas seriam punidas de acordo; segunda, teriam uma segunda chance.

O QUE É RUIM PARA AS MULHERES É RUIM PARA O SEU BARCO.

A Marinha estava tentando mudar a sua atitude tanto em relação às mulheres quanto em relação aos negros. O *Benfold*, por exemplo, foi um dos primeiros navios da Marinha construídos desde a quilha para acomodar mulheres. Mas a falha do programa de treinamento sobre a diversidade sugeria que alojamentos para mulheres, embora importantes, não eram uma questão primordial. Eles fizeram pouco ou nada para mudar os seus sentimentos e hábitos.

Isso era sublinhado pelo ressentimento que o nosso navio irmão, o USS *Stethem*, sentia em relação a nós. Ele enraivecia tão imensamente aquela tripulação que muito embora o *Stethem* tivesse um bom desempenho, o *Benfold* sempre tinha um desempenho melhor. Embora parecêssemos gêmeos idênticos, os navios eram muito diferentes em espírito e realizações. Por um lado, o *Stethem* tinha uma tripulação constituída apenas por homens, e alguns dos seus marinheiros referiam-se pejorativamente aos navios como "deles e delas". Frustrados pelos nosso desempenho superior, os marinheiros do *Stethem* estavam constantemente buscando alguma coisa em que nos bater, mas no nosso ponto de vista nós tínhamos uma outra vantagem: éramos um navio com a mistura de sexos.

Encontramos a mesma reação quando fomos ao Golfo Pérsico em 1997. O Estado-Maior Conjunto ordenou que o porta-aviões *George Washington* se unisse ao *Nimitz* na área. Ele levou consigo a escolta de dois outros navios, o *Normandy* e o *Carney*.

O comandante do *Carney* era um oficial importante e era o imediato do *Shiloh* quando o substituí em 1993. Tínhamos uma cordial rivalidade profissional. Se você imaginar o Popeye, fará uma boa idéia dele — um velho marinheiro que adora o mar e sempre tem uma história marítima para contar. Ele tinha um grande orgulho de chamar a sua tripulação de "os homens do *Carney*" — o navio tinha uma tripulação constituída apenas por homens.

Embora ele comandasse um ótimo navio, o desempenho do *Benfold* era melhor — bem, na minha opinião, em termos de moral e entusiasmo, o *Benfold* era melhor. No golfo, os tripulantes do *Carney* não se saíram tão bem como nós nos exercícios com os *Tomahawk*. Eles foram muito bem, mas não chegaram ao nosso nível.

O Vice-Almirante Fargo ordenou que o *Benfold* redigisse um relatório detalhando como cumprimos as exigências de lançamento dos *Tomahawk*. Ficamos muito satisfeitos em fazê-lo, mas isso pode ter incomodado o comandante do *Carney*, que, juntamente com a sua tripulação, tinha sido superado por um navio misto.

Eu tinha pensado bastante sobre o papel das mulheres na Marinha, porque os militares nunca chegaram a um consenso com relação à questão de integrar homens e mulheres em postos de combate. Eu estava determinado desde o primeiro dia a fazer com que as mulheres fossem aceitas no *Benfold*. Um navio, assim como um escritório ou uma fábrica, é um local de trabalho, onde não é tolerado nenhum tipo de hostilidade sexual.

Obviamente, existem alguns trabalhos que as mulheres não são capazes de fazer pelas suas limitações físicas, mas esses são relativamente poucos — e, verdade seja dita, muitos homens também não são capazes de executá-los. Por exemplo, quando o USS *Cole* foi alvo de uma bomba terrorista que abriu um buraco num dos seus bordos, o navio quase afundou. Uma das tarefas necessárias para mantê-lo flutuando foi usar vigas de madeira, que armazenamos no navio, para escorá-lo e impedir que o casco abaixo da linha d'água dê passagem à água. Essas vigas são extraordinariamente pesadas e no caso se trabalha numa área parcialmente inundada. Esse trabalho requer uma enorme força física para mudar as vigas de lugar. Até mesmo alguns dos homens não conseguem mover as vigas. Mas com todos trabalhando em equipe, cada pessoa contribuindo com a sua parte, eles fizeram um trabalho considerável, ou melhor, um trabalho heróico em salvar o navio. As marinheiras, descobri, ficavam igualmente motivadas, se não mais, quando era preciso alcançar ótimos resultados.

Nunca pensei em transformar o *Benfold* num laboratório de sociologia. O que estava em jogo era a nossa aptidão para o combate. A Marinha está enfrentando uma oferta limitada de mão-de-obra, e excluir alguma parte da população é simplesmente pura estupidez. A Marinha tem um pessoal que representa 80 por cento da sua força de trabalho ideal, e a quarta parte de todos os novos recrutas é composta de mulheres. Não poderíamos sair do porto com os navios se não aceitássemos mulheres.

Depois de fazer o melhor possível para deixar os homens do *Carney* mais espertos, partimos do golfo e, no final de janeiro de 1998, entramos em Melbourne, Austrália, onde os guardas de segurança municipais controlam os píeres. Por volta de meia-noite, quando eu voltava de uma noite na cidade, o chefe da guarda me parou para perguntar:

— O que há de errado com a sua tripulação?

Uma vez que eu não tinha certeza a que ele estava se referindo, indaguei:

— Como assim, companheiro?

Ele disse que nunca vira uma tripulação mais bem comportada ou mais disciplinada do que aquela a bordo do *Benfold*. Disse que normalmente via apenas marinheiros bêbados que eram barulhentos e arruaceiros. Agradeci a ele e sorri, radiante de orgulho.

Ele estava certo, é claro, e no meu ponto de vista, porque tínhamos mulheres a bordo, a quem aceitávamos verdadeiramente como parte da nossa tripulação. Não tínhamos os problemas de integração sexual que dividiam o resto dos militares, por uma simples razão: nós tratávamos todo mundo com respeito e dignidade, e exigíamos o mesmo do nosso pessoal. Uma vez mais, era simplesmente a coisa certa a fazer, mas também definitivamente exercia um efeito salutar sobre as maneiras e o comportamento da tripulação. Tendo aceito as mulheres como iguais, os homens não queriam ser superados por elas. Não apenas o desempenho deles melhorou, mas também os forçou a amadurecer e parar de agir como adolescentes.

A comandante da base de Bahrein — a primeira comandante do sexo feminino no Oriente Médio — foi compreensivelmente cética em relação à alegação de igualdade sexual no *Benfold*, e veio a bordo para ver por si mesma. Ora vejam só, ela não encontrou uma lacuna de credibilidade — ou de sexo. As nossas mulheres, que ocupavam postos da hierarquia de grumete a capitão-tenente, tinham todas um desempenho fenomenalmente bom. Não tínhamos problemas de fraternização de que se ouve falar na mídia. A comandante da base entrevistou as marinheiras de todos os conveses, de proa a popa, e todas elas disseram a mesma coisa: elas adoravam servir no *Benfold*.

Eu servi com uma porção de bons oficiais na minha carreira, mas a minha navegadora, a capitão-tenente Jennifer Ellinger, foi uma dentre os melhores. O *Benfold* era o navio mais moderno quando o USS *Gary* e o USS *Harry W. Hill* saíram em formatura. Tradicionalmente, os navios mais antigos determinam o rumo de ida e de volta para o Golfo Pérsico, mas uma vez que as tripulações deles eram menos competentes, foi Jennifer que nos conduziu na ida e na volta. Ela teve um desempenho fantástico. Além disso, ela era a melhor jogadora da defesa que eu já vi no time de *softball* dos oficiais. Sempre pude contar com ela para fazer uma rebatida quando mais precisávamos. Infelizmente, a maioria dos oficiais do sexo masculino do time não era tão confiável. Foi muita falta de sorte minha ter um grupo de oficiais que não conseguia rebater a bola para fora do campo interno, então eles nunca conseguiam vencer o time dos sargentos. Essa foi uma das minhas maiores decepções em dois anos no *Benfold*. E também foi a de Jennifer, uma vez que ela era tão competitiva quanto eu.

No mundo dos negócios, existe o mito de que as mulheres alcançaram a igualdade, quando na verdade ainda existe bastante hostilidade e discriminação sutis. Os homens se ressentem de competir com as mulheres por um cargo. Na sociedade em geral, temos tendências culturais perturbadoras, como cantores de *rap* defendendo a violência contra as mulheres. Acho que todos podemos aprender com a experiência que tivemos no *Benfold*.

Descobri alguns outros benefícios importantes por ter mulheres a bordo. A história da Terceiro-Sargento Gussie Jones é um bom exemplo disso.

A oportunidade de Gussie brilhar surgiu por causa do curso do *Benfold* para dar às praças a responsabilidade de ser o oficial de serviço — a pessoa encarregada do portaló quando o navio está no porto. Essa pessoa cuida da segurança, recebe os visitantes e registra tudo o que entra e sai do navio. Uma vez que é a primeira impressão do visitante no navio, o portaló tem sempre a maior prioridade; é tradição na Marinha não tolerar falhas no que pode ser um trabalho febril e exigente, especialmente durante as mudanças de quarto agitadas. Por esse motivo, normalmente esse cargo é ocupado por oficiais ou suboficiais durante o dia. Mas eu queria dar ao pessoal de menor graduação hierárquica a satisfação de assumir mais responsabilidade e também liberar o pessoal mais graduado para outras tarefas. O *Benfold* começou qualificando primeiros- e segundos-sargentos como oficiais de serviço.

Eles cometeram alguns erros, que corrigimos sem adverti-los, mas, a longo prazo, o curso teve tanto êxito que outros navios começaram a copiá-lo. Decidimos dar um passo à frente e incluir também os terceiros-sargentos.

Foi a vez de Gussie Jones, aos 22 anos de idade.

Depois de passar no exame de qualificação, ela foi escalada para assumir o turno da meia-noite — o horário mais calmo possível. Nada disso, falei; coloquem-na no turno das 7:00 ao meio-dia, o turno mais agitado do dia. Queria que o resto dos navios soubesse que tínhamos um terceiro-sargento como oficial de serviço.

No primeiro turno de Jones, o meu novo chefe, o comodoro Jim Stavridis, apareceu inesperadamente. Gussie anunciou a chegada dele no sistema de alto-falantes do navio. Na Marinha, na chegada e na partida os oficiais superiores são anunciados pelos seus títulos, não pelos seus nomes, e pelo número de badaladas do sino correspondente ao seu posto. Os almirantes de três e quatro estrelas recebem oito badaladas, os de uma e duas estrelas recebem seis, e os comodoros recebem quatro. Mas apressada, surpresa e nervosa, Gussie deu ao comodoro Stavridis seis badaladas e anunciou:

— Esquadrão de Destróiers 21... chegando.

Ao ouvir isso da minha câmara, eu soube que ela havia cometido um erro. Também sabia que o meu chefe provavelmente tinha aparecido. Então eu corri para o portaló no mesmo instante em que os meus oficiais chegavam lá, e antes que alguém pudesse dizer alguma coisa eu peguei o comodoro pelo braço, apertei-lhe a mão e com um grande sorriso informei:

— Deixe que o *Benfold* seja o primeiro a prever sua seleção para contra-almirante no ano que vem.

Um enorme sorriso brotou no rosto dele. Gussie estava embaraçada, mas não humilhada. E mais importante, passei uma mensagem para os meus oficiais sobre como tratar as pessoas. (A propósito, o comodoro foi realmente promovido a contra-almirante no ano seguinte.)

O segundo turno de Gussie foi cinco dias depois. Foi o turno do meio-dia às 4 da tarde num dia frio, com chuva e vento em San Diego, e o navio no píer oposto tentava suspender. Quando um navio deixa um píer, os marinheiros dos navios próximos põem mãos à obra para ajudar a largar as espias*, e alguns tripulantes nossos foram chamados para esse trabalho.

Mas os oficiais do navio que suspendia eram da velha escola do "apresse-se e espere". Eles deixaram os homens segurando os cabos ali debaixo de chuva por 45 minutos — enquanto os oficiais estavam aquecidos e secos no passadiço. Então o navio apresentou um problema nas máquinas, o que prolongou a demora. Então Gussie Jones chamou o meu chefe da divisão de serviço, o capitão-tenente K. C. Marshall, para o portaló. Quando ele chegou, ela disse que os marinheiros estavam esperando na chuva por praticamente uma hora.

— O senhor acha que poderíamos trazê-los para cima, para debaixo do toldo, para se secar?

— Sem dúvida — disse K. C., e ordenou que lhes servissem café e chocolate quente do rancho do *Benfold*.

Como é possível que uma jovem de 22 anos como Gussie Jones, apenas no seu segundo serviço, teve o bom julgamento e o bom senso de tirar aqueles marinheiros da chuva quando os oficias no outro navio não pensaram nisso?

---

* Cabos grossos usados para amarrar o navio ao cais. (N.R.)

CAPÍTULO ONZE

MELHORE A QUALIDADE DE VIDA DO SEU PESSOAL

Costumo achar que os Estados Unidos como um todo, assim como os militares, encaminham-se para um colapso nervoso. Estamos permanentemente ligados ao nosso trabalho, onde quer que nos encontremos. Até mesmo quando estamos de férias, estamos ligados em *pagers*, telefones celulares e *laptops*, de modo que possamos nos conectar até na praia. Não há problema quanto a isso, desde que feito com moderação. Em excesso, consome o reservatório interior de energia de que as pessoas precisam quando a vida fica difícil. Se você trabalha setenta ou oitenta horas por semana e nunca tira uma folga para promover o equilíbrio entre a sua vida pessoal e o trabalho, o reservatório não se reabastece e logo você está correndo no vazio. Quando as coisas ficam difíceis, o corpo pode querer, mas o espírito estará de folga.

Muito tempo atrás, um dos almirantes de Netuno deve ter decretado que os marinheiros de serviço são proibidos de se divertir no mar. Os nossos próprios almirantes assumiram a lei como um evangelho; não viram nenhuma alternativa possível. Eu queria mudar essa situação. Quando entrevistei os meus marinheiros, perguntei-lhes não só como poderíamos melhorar o desempenho do navio, mas também como poderíamos nos divertir enquanto trabalhávamos. As respostas foram incríveis.

DIVERTIR-SE COM OS AMIGOS TORNA O NAVIO MAIS FELIZ.

Um marinheiro disse que seria justo se tivéssemos um sistema estéreo, e talvez uma vez por semana pudéssemos nos reunir no convés de vôo e assistir ao pôr-do-sol ouvindo *jazz*. Fizemos isso. Ao pôr-do-sol, toda quinta-feira, uma grande multidão se reunia — homens e mulheres, oficiais e praças — para ouvir *jazz* enquanto a noite chegava sobre o mar, o que certamente contribuiu para uma aproximação que deixou a tripulação mais unida do que nunca.

Outro marinheiro achou que seria divertido se pudéssemos fumar um charuto quando estivéssemos ouvindo *jazz* e observando o sol se pôr. Então compramos um umidificador e mantivemos um estoque de charutos de boa qualidade. Todas as quintas-feiras à noite tornaram-se a Noite do *Jazz* e do Charuto no *Benfold*.

Outro marinheiro ainda sugeriu uma *happy hour* a cada sexta-feira no mar. Eu estava pronto para quebrar uma porção de regras, mas definitivamente não aquela que proíbe servir bebidas alcoólicas num navio no mar. Ainda assim, pode-se ter uma *happy hour* sem bebidas alcoólicas, ou pelo menos foi o que determinei. Toda sexta-feira à noite, nos reuníamos no rancho para um banquete — um churrasco de pernil de boi, asas de frango à moda de Búfalo, o melhor camarão disponível. Também compramos um aparelho de caraoquê. Estipulei duas coisas. A primeira, que a tripulação aprovou sem discutir, era que o comandante não cantaria, nem mesmo tentaria. A segunda, refletindo uma falha cultural minha, era que não houvesse música *country*. Eu não conseguia agüentar aquilo, nem mesmo através de fones de ouvido, que dirá com alguém cantando num aparelho de caraoquê nos alto-falantes de um contratorpedeiro. Mas as pessoas eram condescendentes com as excentricidades do comandante. E foi maravilhoso ouvir os meus marinheiros rindo, sentados juntos cantando caraoquê, especialmente sem todos aqueles soluços, vozes fanhosas e lamúrias a que eles adoravam e eu abominava.

Tentávamos instilar alegria em tudo o que fazíamos, especialmente nas tarefas corriqueiras e repetitivas, como o carregamento de alimentos para bordo. A não ser em San Diego, onde a esteira transportadora de Irv Refkin vinha em nosso socorro, essa era uma tarefa que fazíamos manualmente, e era um trabalho bem difícil. Decidimos que a música ajudava a facilitar os trabalhos. Com o nosso enorme sistema estéreo tocando em alto volume, tratava-se de uma cena completamente diferente. Todo mundo dançava e se animava ao som da música. Os oficiais e os sargentos que supervisionavam o pessoal que trabalhava acabavam se balançando também.

A música parecia fazer até da tarefa mais tediosa um trabalho divertido — uma lição que de alguma forma escapou à Marinha americana.

Ainda assim um outro marinheiro comentou:

— Por que não colocamos um lençol na antepara do convés de vôo e conseguimos um projetor para projetar filmes ao ar livre durante a noite?

Considerei uma idéia fantástica. Embora tivéssemos televisores e videocassetes em todos os locais de trabalho, para que o pessoal pudesse assistir aos filmes que quisessem, a idéia do convés de vôo nos remeteu ao tempo em que todos assistíamos a filmes nos navios como um público comum e tínhamos todos uma vivência conjunta. A sugestão pareceu-me um passo adiante no sentido de unir a minha tripulação.

Então tínhamos o Sábado à Noite no Drive-In. Estávamos no Golfo Pérsico, a 30 milhas ao sul do Iraque, e exibíamos uma sessão dupla de cinema todos os sábados à noite. O primeiro filme era sempre uma comédia, o segundo um filme de ação e suspense. Providenciávamos trezentos sacos de pipoca, assim como refrigerantes. As pessoas traziam as suas cadeiras de praia, cobertores e travesseiros, deitavam-se sob as estrelas e assistiam a um filme. Outros navios encostavam e tomavam posição a uns 100 metros do nosso convés de vôo, de modo a poderem também assistir ao filme.

A questão era que o fato de se divertir com os amigos cria infinitamente mais união social para qualquer organização do que jamais proporcionarão as participações nos lucros e as gratificações.

A diversão é um conceito que você pode aplicar a qualquer local de trabalho a qualquer momento. Não muito tempo atrás, eu propus isso a um banco visivelmente severo, e os diretores pareceram alarmados. Eles disseram, mais ou menos: "Não se permite diversão aqui. Vai contra a nossa cultura organizacional". Mas uma diretora resolveu divergir: "Por que não temos uma diversão uma vez por mês?", indagou. Os outros amoleceram, embora pouco a pouco, e a luz finalmente surgiu. Agora, um dia por mês, os funcionários antes sisudos do banco passaram a se reunir para um almoço, que cada um traz de casa num saco de papel pardo, e sentam-se juntos para assistir a clássicos antigos da televisão como *I Love Lucy* e *Gilligan´s Island*. Essas pessoas mal tinham dito uma palavra umas para as outras havia dias, se não décadas. A última que eu soube é que eles estavam mesmo rindo.

A PRINCIPAL PRIORIDADE:
UMA BOA COMIDA.

Os meus pais foram a San Diego para assistir à minha posse no comando do *Benfold*, e depois da cerimônia eu os convidei a bordo para um cruzeiro de seis horas. Era a primeira experiência deles num navio, que dirá num navio que eu comandava, e eu queria que eles adorassem.

Infelizmente, quando chegou o momento de eles almoçarem na praça d'armas, descobrimos que era dia de *nuggets* de frango. Eu não sei como é possível estragar *nuggets* de frango, mas aqueles estavam duros, sem sabor e um absoluto fiasco. Se aquele era o tipo de refeição que era servido aos oficiais, pensei, o que será que a guarnição está comendo?

A alimentação é extremamente importante num navio. Apesar de todas as promessas de empolgação e aventura no mar, existe uma grande quantidade de monotonia na Marinha, com muitos dias de atividade mecânica e manutenção rotineira. Oferecendo muito mais do que subsistência, as refeições dão às pessoas a chance de se relacionar e relaxar, além de me dar a oportunidade de impulsionar o moral da tripulação.

Todo navio da Marinha tem uma análise de cardápio a bordo. Uma vez por mês, cada uma das divisões do navio (o *Benfold* tinha 24) envia um representante para a comissão para falar sobre o cardápio. Geralmente parece que temos mais reuniões do que pessoal e a maioria das divisões não envia o que tem de melhor para essa reunião: historicamente, trata-se de um evento não valorizado que era estabelecido por alguma razão que ninguém se lembrava mas não tinha permissão de cancelar, uma vez que temos inspeções sobre o assunto. Eu apareci, de maneira imprevista, na reunião seguinte.

Na maioria dos navios, todos ficam alertas a tudo quanto o comandante está fazendo, e a notícia rapidamente se espalhou de que eu estava participando da reunião de análise do cardápio. Chocados, os dois oficiais encarregados da alimentação, que não tinham planejado comparecer, chegaram e teve início uma áspera discussão sobre culinária. Eu escutei e finalmente falei.

— Preciso dizer uma coisa a vocês — observei. — A comida deste navio é uma droga. Qual é o problema?

Todo mundo ficou impressionado com a minha franqueza. Mas eu não tinha a intenção de advertir nem punir ninguém; tudo o que eu queria era entender por que a comida era tão ruim. A reunião de análise do cardápio é geralmente conduzida pelo mestre d'armas*. Naquele caso, o sargento observou que tinha alguns cozinheiros que não seguiam as receitas do cardápio. Então eu reuni todos os cozinheiros e disse-lhes que eles eram as pessoas mais importantes na minha campanha para impulsionar o moral. Enfatizei a importância de seguir as receitas dos cardápios e disse que queria o apoio deles. Queria ajudar os cozinheiros assim como a todo mundo.

Quando consigo ajudar as pessoas, o trabalho delas melhora e o meu próprio moral dá um salto. O meu método com os cozinheiros era atravessar o corredor de vez em quando e dizer a eles o quanto apreciava o esforço que estavam fazendo. E a comida ficou muito melhor.

Mas com uma mistura limitada de ingredientes, na maioria inferiores, os cozinheiros não poderiam resolver o problema sozinhos. Eu avancei mais um passo na minha campanha em favor da cozinha.

Desde que Moby Dick era um filhote, os navios da Marinha são obrigados a fazer licitações junto aos fornecedores de alimentos e comprar apenas do licitante com os menores preços. O que começou com uma política contra a corrupção tornou-se uma receita para uma comida repugnante — isto é, a menos que você goste de uma manteiga de amendoim sem nome que vem em grandes latas de alumínio e de um bife tão gorduroso e insípido que é chamado de "carne misteriosa" pela tripulação.

Enquanto estive no Pentágono, o meu chefe, o Secretário de Defesa William Perry, lutara bastante para conseguir que o Congresso aprovasse a lei federal que regula as aquisições pelo governo, o que liberaria os militares de ter de fazer todas as compras de acordo com os padrões governamentais. Embora essa fosse uma ação positiva do governo, não encontrou eco na mídia. Essa lei nos permitiria comprar os nossos suprimentos no mercado aberto e aprender a comprar com sabedoria ao mesmo tempo. Se eu quisesse uma manteiga de amendoim de uma boa marca, poderia comprá-la; se quisesse um bom bife, iria atrás dos melhores fornecedores. Determinei ao meu oficial rancheiro, o encarregado da compra dos suprimentos, a eliminar a palavra "barato" do seu vocabulário e substituí-la por "qualidade".

— Compre a manteiga de amendoim da marca que a tripulação preferir — disse eu. — E não se esqueça de perguntar se eles querem da grossa ou da fina.

Foi assim que consegui o dinheiro para enviar seis cozinheiros para uma escola de culinária. O *Benfold* acabou servindo a melhor comida da

---

* Praça encarregada do controle do rancho da guarnição. (N.R.)

Marinha. Os nossos jantares de Ação de Graças eram tão bons quanto os que eu tinha em casa (desculpe, mamãe).

Quando assumi o comando, tinha três prioridades principais: ter uma comida melhor, implementar um treinamento melhor e dar tantas promoções quantas conseguisse por ano. Embora algumas pessoas riam quando eu relaciono a comida em primeiro lugar, o fato é que ela elevou o moral e ajudou a começar o processo de transformação do navio.

AUMENTE OS GANHOS DA SUA TRIPULAÇÃO.

Entre agosto e setembro de 1997, rumamos do Havaí para o Golfo Pérsico, com inesquecíveis escalas em Cingapura e na Tailândia. Passamos trinta daqueles dias no mar treinando intensamente no uso dos mísseis de cruzeiro *Tomahawk*. Os *Tomahawk*, que podem viajar uns 1.600 quilômetros e pousar a uns 30 centímetros do alvo, são a artilharia mais importante do nosso país. Eu queria a melhor equipe de manobras da Marinha.

O nosso treinamento compensou. O *Benfold* foi o único navio do nosso grupo de três navios que era dotado de *Tomahawk* (o *Hill* e o *Gary* não estavam configurados para transportar *Tomahawk*). Quanto mais nos aproximávamos do golfo, mais provocador ficava Saddam Hussein; recebemos ordens para nos apressar, deixar o *Gary* e o *Harry W. Hill* para trás e colocar em posição os nossos *Tomahawk* o mais rápido possível.

A Marinha americana não serve rum aos seus guerreiros, mas oferece uma gratificação em dinheiro para os que estão a caminho do perigo, uma área que na ocasião incluía o Golfo Pérsico. Por estar dentro do golfo, até mesmo por um minuto de um dia, o pagamento dos marinheiros seria livre de impostos por todo o mês.

As nossas ordens diziam apenas para alcançar Bahrein em 3 de outubro de 1997, mas, felizmente, não nos diziam como fazê-lo. Com uma velocidade de 18 nós, podíamos chegar a Bahrein conforme determinado. No entanto, calculei que uma velocidade de 24 nós por dois dias inteiros nos colocaria dentro do golfo às 23:59 da noite de 30 de setembro, dando-nos o último minuto do mês dentro da zona de isenção de impostos e aumentando no mínimo 350 dólares ao pagamento de cada tripulante. Não importa que isso exija estarmos tão adiantados em relação à programação que apenas precisávamos fazer 5 nós nos dois dias subseqüentes para chegar a Bahrein conforme determinado. Eu poderia ter levado uma dura reprimenda se descobrissem.

Da maneira como aconteceu, porém, uma nova crise no Iraque eclodiu em 1º de outubro, e o Vice-Almirante Fargo nos enviou para o norte do golfo para ajudar. Ninguém jamais pensou em perguntar por que o *Benfold* estava dentro do Golfo Pérsico dois dias antes do previsto.

Então agora podemos dizer: Saddam nos prestou um favor. Graças às suas ameaças, agregamos valor ao comandante do nosso grupo de batalha e os meus marinheiros receberam um bônus adicional por não pagar os impostos relativos ao mês de setembro.

EM TEMPOS DIFÍCEIS, RELAXE UM POUCO.

No início de novembro de 1997, chegamos muito perto de lançar os nossos mísseis *Tomahawk*. Foi um período tenso. Kofi Annan, o Secretário-Geral das Nações Unidas, estava viajando pelo Oriente Médio tentando conseguir um acordo de paz. Enquanto isso, Saddam ameaçava expulsar do país os inspetores de armas da ONU. Nós ficamos esperando, prontos parar atirar caso recebêssemos a ordem. A mídia em nosso país fazia parecer que a guerra era inevitável.

Ainda assim, era um lindo outono no Golfo Pérsico, e um domingo à tarde, com o termômetro indicando 38 graus, concluí que precisávamos de uma folga em meio à crise. O *Benfold* transportava dois pequenos botes infláveis de borracha com motor de popa e então organizamos uma corrida de barcos, usando flutuadores para estabelecer um percurso ao lado do navio. Cada um dos cinco departamentos do navio inscreveu a sua equipe e começamos as disputas assoprando o apito de bordo. Os botes são muito rápidos — podem atingir cerca de 64 quilômetros por hora. Para tornar o acontecimento ainda mais festivo, providenciamos uma refeição ao ar livre no convés de vôo. A minha tripulação adorou tudo aquilo, mas a pessoa que mais saboreou o dia foi o capelão.

O capitão-tenente Glenn Woods viera do porta-aviões *Nimitz* para nos visitar. Ele adorou a diferença entre o nosso navio e o *Nimitz*, que tinha vários capelães e psiquiatras em tempo integral para lidar com os problemas da sua tripulação de 5.500 pessoas. Como uma atividade eventual, eles visitavam outros navios para ver se algum tipo de assistência pastoral era necessária. Demos a Woods um compartimento no *Benfold* e anunciamos que ele estava disponível para as almas necessitadas. Mas os únicos que apareceram, ele me contou, foram as pessoas que vinham perguntar se ele precisava de alguma coisa.

O capelão entrou no espírito da corrida de barcos. Nós o colocamos num dos barcos como tripulante e ele se recusou a sair. Ele disse que nunca tinha se divertido tanto em toda a sua carreira na Marinha. Ele estava tão encantado que me preocupei um pouco sobre o que poderia contar sobre as nossas atividades adicionais quando voltasse para o *Nimitz*. Tecnicamente, baixar os barcos para a água requeria uma autorização do comodoro Duffy. Eu dissera a ele que os barcos precisavam de manutenção borda afora, o que era verdade. Mas não havia mencionado que a corrida faria parte dos acertos.

Conforme suspeitei, o capelão ficou tão satisfeito com a aventura que não conseguiu guardar a experiência para si. De volta ao *Nimitz*, ele espalhou como uma matraca que até mesmo naqueles momentos de extrema gravidade, com a guerra praticamente para acontecer, o *Benfold* proporcionava corridas de barcos. Os marinheiros do porta-aviões disseram que se estivessem a menos de 10 quilômetros do *Benfold*, teriam saltado para a água e vindo até ali a nado para se divertir um pouco com a gente.

Duffy nunca mencionou as corridas.

DEIXE A TRIPULAÇÃO EXIBIR O NAVIO.

Em seguida, fomos para a Austrália.

Em cada porto, eu ignorava o regulamento elitista da Marinha segundo o qual apenas convidados "ilustres" podiam visitar o navio. Eu não via motivo para proibir que os meus marinheiros convidassem os novos amigos a vir a bordo. Na verdade, eu encorajava as pessoas a sair, encontrar novas amizades e fazer exatamente isso. Algumas vezes quando eu via um marinheiro mostrando o navio a conhecidos, eu me aproximava e ajudava a explicar como o navio funcionava.

Os meus marinheiros fizeram o que me pareceu literalmente milhares de novos amigos, e fiquei tocado com a ansiedade deles de levá-los a bordo. Eles evidentemente sentiam um enorme orgulho do *Benfold*. Eu sempre pensava como seria maravilhoso se as corporações inspirassem esse tipo de orgulho, de modo que os funcionários considerassem o seu local de trabalho não um território hostil mas um local para mostrar para os amigos. Se os trabalhadores sentissem esse tipo de posse, uma porção de problemas no trabalho evaporariam. Não acho que estou sendo ingênuo. Aconteceu no *Benfold*; por que não poderia acontecer em qualquer outra organização?

Enquanto nos preparávamos para partir de Melbourne, com os rebocadores ao nosso bordo, desci para o cais para fazer uma verificação final nas espias. Encontrei uma jovem chorando incontrolavelmente.

— O que aconteceu? — perguntei, embora já desconfiasse.

— Não acredito como os seus marinheiros são gentis, e simplesmente odeio ver vocês partirem. Especialmente Willie, que trabalha no compartimento do radar. Poderia entregar um bilhete meu para ele?

Quando voltei a bordo, fiz um anúncio no sistema de alto-falantes:

— Escute aqui, Willie, do compartimento do radar. Tenho um bilhete para você de uma moça que você deixou magoada. Apresente-se a mim no passadiço.

No devido tempo, Willie apareceu, afogueado, e recebeu o bilhete enquanto toda a tripulação sorria. Dali por diante, ele foi considerado um herói por ter deixado corações apaixonados no período de folga no teatro de operações australiano. Talvez eu lhe devesse ter conferido uma medalha — não a Purple Heart, mas a Valentine Cross*, talvez, acompanhada de uma caixa de chocolates.

O SEGREDO DO BOM TRABALHO? BOA DIVERSÃO.

Depois de termos aprendido a reabastecer no mar, decidimos experimentar algo mais difícil — reabastecer no mar à noite. A nossa primeira tentativa foi tranqüila. Era mais fácil do que eu esperava, e muito mais agradável do que ficar escaldando sob o sol quente do golfo. Os meus marinheiros gostaram tanto que dali por diante só reabastecemos à noite.

---

* Jogo de palavras com o nome da medalha Purple Heart (atribuída aos soldados que são feridos em batalha) e uma outra, inexistente, literalmente, "Cruz dos Namorados". (N. T.)

Não demorou muito para que um marinheiro aparecesse com a idéia de aliviar o reabastecimento noturno com a projeção de vídeos musicais na antepara da popa do navio. Isso, por sua vez, inspirou um espetáculo de luzes de *laser*. À medida que nos aproximávamos do navio-tanque, projetávamos todas as nossas luzes, reverberando o tema das Olimpíadas (significando que éramos os campeões) e começando o nosso espetáculo de raios *laser*, seguidos por vídeos musicais. Tudo isso envolvendo a tripulação dos navios-tanques, que tinham os melhores lugares da platéia. Depois de algum tempo, aquelas tripulações praticamente competiam pelo privilégio de reabastecer o *Benfold*.

Depois que os vídeos musicais passaram da moda, decidimos apresentar concertos ao vivo. O capitão-tenente K. C. Marshall era um cantor talentoso e um bom imitador. Trouxemos o equipamento de caraoquê e o instalamos no convés. Seis noites antes do Natal de 1997, recebemos ordens de reabastecer à meia-noite do navio-tanque *Seattle,* ao mesmo tempo que o *Nimitz* reabastecia do outro bordo. Enquanto permanecíamos reabastecendo, divertíamos a tripulação dos dois outros navios com as nossas luzes e o nosso som estéreo. K. C. Marshall cantou por cerca de uma hora, fazendo homenagens inspiradas a Elvis Presley. A versão de Marshall de *Blue Christmas* foi realmente tocante, tão boa quanto a canção merece. No passadiço do *Nimitz,* um navegador veterano, triste por estar longe de casa no Natal, enxugava as lágrimas.

Aquele espetáculo alicerçou a imagem do *Benfold* em toda a esquadra. Éramos o navio diferente que não tinha medo de errar, que era o melhor em tudo o que precisava ser e que divertia todo mundo. A liberdade conferida ao nosso pessoal de agir um pouco loucamente parecia confirmar que nós realmente nos preocupávamos com todos. Aquilo aumentou o orgulho de todos em servir em um navio momentoso que os outros admiravam e invejavam. O entretenimento compensava enormemente para todos.

Depois de deixar a Austrália, a nossa programação incluía um reabastecimento em Pago Pago, capital das Samoas Americanas, no nosso caminho de volta a San Diego. Tínhamos todo o tipo de planos para aquela visita, com destaque para um luau na praia para o qual tínhamos comprado cerveja australiana e leitões para assar. Uma festa sempre é uma maneira certa de aproveitar o tempo. Mas mal tínhamos entrado em Pago Pago quando fui informado para reabastecer, deixar o *Gary* e o *Harry W. Hill* para trás e partir imediatamente para Seal Beach, Califórnia, para descarregar os nossos mísseis *Tomahawk*. Os *Tomahawk* estavam tão em falta no Golfo Pérsico que os nossos seriam enviados direto para lá de avião tão logo os liberássemos. Esse foi o fim do nosso luau. Deixamos toda a nossa cerveja e os leitões para a tripulação do *Harry H. Hill*, para que aproveitassem a festa que não poderíamos fazer. O mais irônico em tudo isso foi que os comandantes mais antigos do *Hill* nunca nem sequer haviam sonhado com a idéia de um luau em um milhão de anos.

Enquanto cruzávamos o Pacífico a caminho de Seal Beach, o meu imediato sugeriu que fizéssemos uma competição de pipas. Não era o mesmo que um leitão assado, mas estávamos acostumados a fazer as coisas acontecerem no *Benfold*. O imediato determinou que cada divisão criasse uma pipa com quaisquer materiais que pudessem ser encontrados no navio. A que voasse melhor venceria.

Quando passamos pelo Havaí, entramos numa calmaria. Não era possível empinar uma pipa, muito menos manobrá-la. Fizemos ziguezagues por todo o oceano procurando um sopro de vento. Finalmente, acelerei os quatro motores para produzir o vento suficiente para que as nossas pipas voassem. Os outros navios da Marinha na área observaram as nossas manobras esquisitas e abanaram a cabeça sem acreditar no que viam — mas tivemos o nosso campeonato de pipas, no estilo do *Benfold*.

Tudo isso mostra o que você pode conseguir quando abre mão da formalidade e libera o seu pessoal para aproveitar a vida quando surge a ocasião, o que logo se transforma em momentos memoráveis da vida de todos. Nada disso que fizemos exigiu muito dinheiro, apenas imaginação e boa vontade.

No USS *Benfold*, o segredo do bom trabalho era uma boa diversão.

CAPÍTULO DOZE

A VIDA APÓS O BENFOLD

⚓ A minha comissão se encerrara. Era chegada a hora de passar o *Benfold* para o seu novo comandante.

Algumas semanas antes da data marcada, o meu comodoro me telefonou e perguntou em que momento eu queria que ele viesse a bordo para o discurso de despedida.

— Sinto muito — eu respondi. — O senhor não está convidado. Isso é apenas entre mim, o meu substituto, a minha tripulação e o meu navio. Ninguém mais vai ser admitido.

Na verdade, em vez de passar o comando no porto e forçar a tripulação a executar uma série de tarefas desnecessárias, eu decidira passar o comando do navio no mar. O procedimento tradicional de passagem de comando no porto é outro dinossauro que precisa ser extinto. Deixe-me contar a vocês sobre a minha passagem de comando.

O comodoro já estava bastante acostumado comigo naquela ocasião e respondeu em seguida:

— O que você quer que eu faça com a sua medalha?

— Seria muito incômodo mandá-la pelo correio, senhor?

No domingo à noite, antes de embarcarmos, recebi pelo correio expresso 310 lagostas vivas enviadas do Maine. Durante três dias, observamos as lagostas no tanque delas na coberta de rancho. A maior parte dos meus tripulantes nunca havia comido uma lagosta ou nem mesmo tinha visto uma, portanto demos aulas sobre como retirar a sua carne e comê-la. O fornecedor nos deu 310 babadores e quebradores de casca e na quarta-feira à noite tivemos o que eu chamei de a minha última ceia: *surf and turf.**

Na quinta-feira de manhã levantamos cedo e treinamos por quatro horas, porque o treinamento era o nosso trabalho. Então, às 10:45 nos reunimos no convés de vôo nos nossos macacões — não uniformes limpos, apenas macacões — e fizemos o mais curto discurso de mudança de comando da história militar. Foram exatamente seis palavras:

— Vocês sabem como eu me sinto.

Então, cumprimentei o meu substituto e a minha tripulação. O novo *Benfold*, com todas as suas benfeitorias, agora era deles.

Quando fui embora, pensei sobre o quanto tínhamos progredido juntos em dois anos. Antes dividido e problemático, o navio que deixei ao meu sucessor era tudo o que um comandante poderia desejar — a jóia do oceano. Eu estava imensamente orgulhoso daqueles marinheiros, que tinham se transformado numa equipe coesa, realizada e eficiente, e estava descaradamente orgulhoso de mim mesmo. Eu tinha ido longe como líder e como pessoa. Nunca me esquecerei da emoção de comandar o *Benfold*, de assistir às suas melhoras dia após dia. Não consigo imaginar um trabalho mais compensador e o teria feito sem receber nem um tostão. Se não conseguir nunca mais repetir o feito, ainda assim serei o homem mais feliz da vida, por ter passado por uma experiência dessas.

As pessoas costumam perguntar por que não continuei na Marinha. A resposta é que não poderia continuar. O *Benfold* fez tanto sucesso que recebi as melhores avaliações da minha vida. O caminho era evidente: poderia ter continuado até me tornar almirante.

O problema era que o negócio da Marinha é sair para o mar. Nos meus primeiros dezoito anos na Marinha, passei três anos inteiros navegando pelo Golfo Pérsico. Considerando tudo, tinha adquirido mais tempo no mar do que qualquer um dos meus colegas da Escola Naval. Permanecer até chegar a almirante teria exigido mais três manobras de exercícios no mar de seis meses cada, provavelmente num período de três anos.

---

* Além de ser o nome de um prato bastante comum nos restaurantes americanos, o qual combina frutos do mar e carne (normalmente cauda de lagosta e bife), a expressão é um trocadilho espirituoso do autor, combinando numa referência sofisticada as ondas do mar (*surf*) com a saída de uma posição desejável (*turf*, na gíria inglesa). (N. T.)

O serviço no mar era compensador. Também cobrava o seu preço no plano pessoal. No final das contas, concluí que por mais que eu adorasse a Marinha, as pessoas que trabalhavam para mim e os meus colegas, era chegada a hora de seguir em frente. Agora quero compartilhar a minha experiência e a minha jornada para ajudar os outros a tornarem-se líderes melhores.

No dia anterior à minha substituição, o meu sucessor me puxou de lado e disse que se sentia quase intimidado: o *Benfold* era diferente de tudo o que ele conhecia. Ele não queria tornar-se conhecido como aquele sob cuja responsabilidade o *Benfold* declinara. Ele me perguntou o que deveria fazer. Ele fora criado por alguns dos verdadeiros "feras" desde que entrara para a Marinha, sujeitos que verdadeiramente acreditavam em agradar os de cima e tirar o máximo dos de baixo. E ali estava ele sendo atirado numa situação inteiramente nova, em que a tradição estrita da Marinha fora virada de ponta-cabeça. O que ele deveria fazer? Por onde deveria começar?

E resumi para ele as regras que seguíamos no *Benfold*, a minha receita para conduzir aquela tripulação e aquele navio fenomenais. Tentei não parecer um Moisés, mas os meus mandamentos não eram menos profundos. Eram simplesmente os títulos dos capítulos deste livro: Lidere pelo exemplo; Ouça com o máximo de atenção; Compartilhe o objetivo e o sentido; Crie um clima de confiança; Busque resultados, não elogios; Assuma riscos calculados; Vá além do procedimento padrão; Prepare o seu pessoal; Estimule a união; e Melhore a qualidade de vida do seu pessoal.

Ele demorou algum tempo para captar tudo isso, mas no fim ele conseguiu.

Uma semana depois da minha partida, ele teve o primeiro vislumbre do que era o navio. O *Benfold* participou de um exercício num grupo de batalha — uma simulação por computador, a primeira feita inteiramente no porto. Feito em San Diego, o exercício girou em torno do porta-aviões *Constellation*, com dois cruzadores encarregados da defesa aérea e vários contratorpedeiros, incluindo o *Benfold*, na caça de submarinos inimigos.

Era a primeira tentativa da Marinha de demonstrar a qualidade do treinamento que poderia ser feito por meio de computadores no próprio porto, a um custo muitíssimo mais baixo do que enviando os navios ao mar. Por isso essa demonstração estava sendo acompanhada ansiosamente nos mais altos níveis do Pentágono. Se o exercício funcionasse, as batalhas navais simuladas poderiam economizar bilhões no futuro. E para tornar o experimento verossímil, o exercício simulava condições até mesmo mais duras do que as que as tripulações encontrariam nas batalhas mais verdadeiras.

O *Benfold* e os cruzadores tinham basicamente o mesmo equipamento, mas cada um dos cruzadores tinha uma tripulação de cerca de 440 pessoas em comparação com os 310 tripulantes do *Benfold,* principalmente porque eles transportavam helicópteros e precisavam de especialistas a mais para conduzir o grupo de defesa aérea do porta-aviões. Considerada a sua responsabilidade especial, as tripulações dos cruzadores eram consideradas de um nível hierárquico superior à do *Benfold* e eram muito mais experientes em operações de defesa aérea. Esperava-se que o *Benfold* defendesse apenas a si mesmo e oferecesse uma defesa aérea limitada para o resto do grupo de batalha. E ele não tinha nem a capacidade nem os especialistas para conduzir a defesa aérea do grupo inteiro. Mas o *Benfold* era "o naviozinho que podia".

Os dois cruzadores mostraram que não estavam preparados para lutar a guerra do computador e foram forçados a sair do exercício, um depois do outro. Enquanto o desastre se avolumava, o comandante do grupo de batalha ordenou desesperadamente que o *Benfold* assumisse o comando enquanto o comandante da defesa aérea fazia um último esforço para salvar o exercício. O *Benfold* entrou em cena e teve um desempenho impecável. Foi um gol de placa.

O *Benfold* demonstrou uma capacidade que nem ele próprio supunha que tivesse. Era uma vitória enorme para a tripulação, e verdadeiramente cristalizou a sua reputação. O almirante do grupo de batalha de porta-aviões ficou impressionado. Fiquei sabendo por terceiros que ele questionou o seu quartel-general, incapaz de descobrir como os cruzadores não foram capazes nem sequer de participar dos exercícios ao passo que o *Benfold,* o menor de todos, não só participara como conduzira a operação toda.

Seis meses depois da minha saída, o *Benfold* tirou a nota máxima na história da Esquadra do Pacífico na Análise de Prontidão de Sistemas de Combate.

Um ano depois da minha saída, o navio foi indicado como candidato para o Spokane Trophy, mas ficou em segundo lugar. Essa foi uma decisão política. O almirante que a tomou tinha comandado anteriormente o navio que venceu, e lhe deu o prêmio. É claro que achei que o *Benfold* era mais merecedor.

O que fez o *Benfold* seguir em frente?

O meu sucessor tornou-se um ótimo líder. Ele foi tão valorizado que foi classificado como o comandante número um do esquadrão dele. A taxa de retenção no trabalho do *Benfold* ainda era o triplo da média na Marinha, e outras boas coisas continuaram a acontecer. No devido momento, o Vice Comandante-em-Chefe da Esquadra do Atlântico escolheu-o como assistente-executivo e tirou-o do *Benfold* para um posto muito antes do que o previsto. Além do mais, ele recebeu a comenda da Legião do Mérito, que costuma ser reservada para os comandantes e almirantes mais antigos.

Eu próprio tinha recebido um prêmio menor, a Medalha do Mérito em Serviço, e a princípio fiquei insensatamente enciumado. Mas então eu comecei a pensar: "Bom para ele". Aí está um sujeito que demonstrou que podia mudar, que podia tornar-se um grande líder. E bom para a Marinha reconhecer o tipo de conquista que ele fez. Oxalá ele continue para receber as suas estrelas e causar uma mudança positiva nas hierarquias dos almirantes. Mais do que isso, eu estava feliz de que a minha tripulação tivesse ajudado a facilitar essa transformação.

Os resultados da minha partida encontraram o *Benfold* navegando a todo vapor durante pelo menos o primeiro ano, e não estou envergonhado por assumir alguns dos créditos. Acredito que a avaliação final de um líder não deve ser escrita até seis meses ou um ano depois que ele deixa a organização. A verdadeira medida de até que ponto você se saiu bem na sua supervisão é o legado que você deixa aos seus sucessores. E não deseje o mal a eles de modo que você possa parecer melhor pelo contraste. Pense grande: o sucesso deles é, na verdade, a sua recompensa por deixar o seu comando tão em forma quanto possível. Enquanto eu redigia este texto, todos os meus oficiais e sargentos foram transferidos de navios e foram enviados para serviços mais exigentes. A maior parte da tripulação também foi transferida.

Todos temos satisfação por um trabalho bem-feito, mas a maior satisfação de todas transcende a conquista pessoal — ela vem de ajudar os outros a desenvolver o seu potencial. Isso é provavelmente o verdadeiro alento dos professores. Definitivamente foi o que me animou pelo tempo em que estive no *Benfold*.

As pessoas perguntam como eu me dava com os outros comandantes. Preciso ser honesto: menos bem do que devia. Se um navio em um grupo de dez navios sempre se sai bem em tudo, é difícil imaginar os outros nove sentindo-se bem a respeito dele. Ainda assim eu nunca parei para pensar nesses sentimentos, o que, é claro, incluíam a minha própria competitividade. Esse foi um erro da minha parte.

Eu certamente tornei a vida mais desconfortável para os nove outros comandantes do meu grupo de batalha. Os marinheiros deles se queixavam de que o *Benfold* fazia isso ou aquilo, então por que eles não podiam fazer? Eu estava orgulhoso das nossas conquistas, e para mim era lógico que os outros navios simplesmente adotassem o que estávamos fazendo. Acima de tudo, o desempenho superior era o que se esperava que todo mundo tentasse alcançar. Esse foi um terreno em que eu deixei de me colocar no lugar das outras pessoas e ver as coisas da maneira delas. Você poderia dizer que eu fui ingenuamente arrogante.

Pensando bem agora, eu poderia ter sido muito mais parceiro dos meus colegas — por exemplo, informando-lhes antecipadamente o que pretendíamos fazer, de modo que pudessem nos acompanhar voluntariamente em vez de receber ordens para nos seguir depois.

Ser comparado desfavoravelmente ao *Benfold* — vez após outra — deve ter causado o tipo errado de competição. Do meu ponto de vista, eu estava meramente competindo comigo mesmo para ter o melhor navio possível. Nunca me preocupei com as consequências da competição. Mas em retrospectiva, é evidente que eles se preocupavam com o que nós estávamos fazendo, e não gostavam nem um pouco. Eu gostaria de ter percebido isso na ocasião.

Se você decidir tomar o caminho do *Benfold* na sua organização, preste atenção ao seguinte: ao fazer coisas novas e inovadoras, você poderá despertar inveja e hostilidade. Procure ficar atento a isso.

Por outro lado, não se esforce apenas em simplesmente evitar magoar os sentimentos dos colegas. Conseguir que o grupo todo tenha um desempenho excelente vale mais a pena do que ter alguns colegas ofendidos. Pode ser que seja melhor aceitar simplesmente o fato de que a qualidade incomoda algumas pessoas. Isso sempre aconteceu e sempre acontecerá. Viva com isso.

O meu método de liderança num navio da Marinha começou como um experimento, nascido da necessidade, mas desde aquele momento descobri que isso está longe de ser algo excepcional. Em todos os tipos de empreendimentos prósperos, o papel gerencial mudou de dar ordens a desenvolver as pessoas, do chefe autoritário para o cultivador de talentos. Atualmente, os gerentes mais eficazes se esforçam ao máximo para mostrar às pessoas como descobrir as soluções por si mesmas e depois não atrapalhar. Considerando a minha responsabilidade pela vida de tantos marinheiros, eu nunca poderia me esquecer disso. Mas este livro confirma até que ponto eu surpreendentemente consegui influenciar a liderança da Marinha nesse sentido. O motivo é simples: o método funciona.

Espero que a minha experiência contribua para a sua carreira e que as minhas técnicas improvisadas inspirem você a inventar até mesmo outras melhores. Mas não vamos limitar essas esperanças em relação às nossas respectivas carreiras.

Enquanto este livro ia para a impressão, os Estados Unidos e o seus aliados declararam guerra contra os terroristas internacionais, aqueles predadores secretos tanto mundiais quanto invisíveis, cuja crueldade não pode ser tolerada. Se algo é certo sobre esse conflito histórico, é que não pode ser vencido pela cultura de comando e controle que há tanto tempo tem moldado a criatividade de praticamente todas as organizações comerciais e militares americanas. Nessa guerra, exércitos e corporações rançosas, atoladas no preconceito e no paternalismo, não serão mais capazes do que os presunçosos Casacos Vermelhos das forças colonialistas britânicas durante a Revolução Americana. A vitória virá, como veio na época, às forças com a liderança de maior alcance, aqueles imbuídos de ousadia e iniciativa em cada grupo. Esse tipo de liderança com iniciativa sempre esteve profundamente arraigada nos verdadeiros americanos, um legado dos antigos rigores da luta pela delimitação das fronteiras. Embora aparentemente obscurecida da cultura por grandes organizações, o ímpeto das pessoas para arriscar a vida pelos outros foi o aspecto mais tocante da catástrofe no World Trade Center. Para mim, ela refletiu o imenso reservatório de abnegação no caráter americano que os líderes de todos os níveis devem aprender a aproveitar para o bem comum. A minha própria experiência a bordo do *Benfold* mostra o potencial desse espírito, depois que os líderes aprendem a usá-lo. Assim sendo, ofereço este livro não apenas como um instrumento para você desenvolver a sua carreira, mas também como um guia para mostrar às pessoas como pensar na liderança como um objetivo maior do que elas mesmas. Esta é a verdadeira história do *Benfold* — a lição de liderança que espero você possa logo aplicar a qualquer organização em que trabalhe, civil ou militar, a partir de amanhã.

Finalmente, vamos estipular o principal princípio do líder campeão: o otimismo manda. E o corolário: as oportunidades nunca acabam.

O que interessa: o barco também é seu. Faça dele o melhor.

EPÍLOGO

ALÉM DO BENFOLD

⚓ No nosso tempo, as organizações geralmente se tornam complexas demais para que os seus líderes as conduzam com eficácia. Alguns líderes atacados por todos os lados tentam escapar da realidade ignorando os problemas crônicos; outros lançam os seus subordinados uns contra os outros numa suposta competição que acaba subvertendo todos os objetivos comuns. O preço da liderança incompetente é, obviamente, uma organização incompetente.

Durante a minha carreira na Marinha, descobri o meu próprio objetivo na vida ao tentar criar alguma coisa melhor — a liderança que merece esse nome é mantida quando se assume a plena responsabilidade por resolver os problemas cruciais.

Liderança não é um salário. Liderança é compromisso. Você precisa querer liderar com toda a preocupação e energia de Ernest Shackleton conquistando a Antártica ou Moisés dividindo as águas do mar Vermelho. E você precisa ser acessível — pôr a culpa nos outros não resolve. A encrenca pára na ponta do seu nariz.

Este livro explica os problemas de liderança que aconteceram em conseqüência da nossa resistência a mudar e melhorar dentro da Marinha. Durante a minha própria transformação na liderança, aprendi a aplicá-la com métodos que transformaram a minha própria organização complexa, o USS *Benfold*. Esses métodos sobreviveram além do meu comando porque eles funcionaram — e beneficiaram todos os líderes que os aplicaram.

Depois que saí do *Benfold*, em 1999, por exemplo, tomei a liberdade de enviar um *e-mail* para o almirante de três estrelas que era responsável pela prontidão de mais de uma centena de navios e pelas instalações da Esquadra do Pacífico. Queria compartilhar o que eu tinha aprendido sobre a aproximação de oficiais e praças, e confrontar outras negligenciadas também. Instei o almirante a manter os comandantes pessoalmente responsáveis pelos índices disciplinares e de retenção das suas tripulações. Dou graças aos céus pelos almirantes compreensivos: esse almirante concentrou imediatamente os seus pensamentos e a sua vontade nos navios com rotatividade irregularmente alta. Sem perda de tempo, os comandantes captaram a mensagem: aumentem o seu índice de retenção ou esqueçam a promoção.

Funcionou. Os índices de retenção aumentaram; as demissões imprevistas caíram. Também foi contagioso. Em 2001, os realistamentos em toda a Marinha subiram cerca de 20 por cento. Houve um brusco decréscimo nos problemas disciplinares e casos de compensação de trabalhadores — e um aumento impressionante de novos alistamentos. A lição é evidente. Depois que um problema se torna importante para a direção, ele passa a ser importante para toda a cadeia de comando. Os resultados podem ser surpreendentes — trabalhadores que se tornam leais, produtos melhores, vendas aumentando e lucros maiores. Tudo porque os líderes fazem o que são pagos para fazer — liderar. Em poucas palavras, espera-se que os líderes resolvam os piores problemas e inspirem um trabalho maravilhoso. As necessidades dos egoístas não interessam.

Na minha vida pós-*Benfold*, tenho sentido uma imensa satisfação pelo aumento na capacidade de liderança dos militares americanos. As quatro armas bélicas do país têm rejeitado cada vez mais a ineficiência da rivalidade entre os militares que duplica as armas e desperdiça o dinheiro dos contribuintes. Desde os acontecimentos de 11 de setembro de 2001, a liderança forte tem exigido cooperação entre as armas, multiplicando assim a eficácia das forças com grandes resultados. Quaisquer que sejam as suas opiniões políticas sobre a guerra no Afeganistão, a campanha em si tem sido um modelo de eficiência no que parecia ser um terreno pouquíssimo promissor. O plano operacional visava o máximo de resultados com o mínimo de recursos. Segundo todos os relatórios até o momento, o desempenho dos aviadores, marinheiros, soldados e fuzileiros navais tem sido impecável.

Nos negócios, tenho encontrado muitas empresas com o tipo de maus hábitos e liderança deficiente que encontrei no *Benfold* quando cheguei a bordo pela primeira vez. Muitos departamentos de empresas parecem cegos ao que poderiam conseguir juntos. Carentes de uma boa liderança, eles estão presos em disputas, políticas e posturas desnecessárias com danos previsíveis para os resultados finais. E, no entanto, é possível alcançar a unidade de objetivo, mesmo contra as piores adversidades, e algumas vezes por causa delas. Estimulamos a união no *Benfold*. Os militares americanos fizeram isso no Afeganistão. Estou convencido de que as empresas em todas as partes do mundo poderão fazer o mesmo. Afinal de contas, o barco também é nosso.

AGRADECIMENTOS

Eu gostaria de agradecer aos meus pais, Don e Mary, pelo enorme exemplo de força e empenho na criação dos seus sete filhos. A sua sabedoria, resistência, perseverança e amor incondicional deram a cada um de nós uma base sólida sobre a qual muito pôde ser construído.

Eu gostaria de agradecer ao dr. William J. Perry pela grande oportunidade da minha vida. O seu apoio, paciência e orientação me ofereceram muitas lições inestimáveis que fizeram de mim um líder e um companheiro de bordo melhor. Um agradecimento especial ao pessoal do estado-maior dele — Earl Masters, Carol Chaffin, Cindy Baldwin, Marshall Williams, Bill Brown e Rick Kisling — pelas incontáveis risadas, ajudas e por ser praticamente uma extensão da minha família.

Sou afortunado de diversas maneiras, mas este livro nunca teria sido escrito não fosse pelo ex-integrante da equipe de William Perry — um habitante do estado de Indiana de grande renome — o sr. Larry Smith, atualmente trabalhando para a Business Executives for National Security (BENS). Larry ouviu falar da nossa jornada de liderança e me apresentou à sra. Polly LaBarre, diretora editorial da revista *First Company*, que deu forma ao embrião do nosso modelo de liderança. Nada disso jamais teria sido possível sem a sabedoria e a perspicácia de Polly. Obrigado, Polly.

Eu gostaria de agradecer aos meus colegas de camarote e amigos vitalícios da Escola Naval, Roy Bishop e George Papaiouanou, que me ajudaram a continuar quando eu nem sempre acreditava. Um especial agradecimento a Michael Bolger, pela orientação inflexível e apoio incondicional.

Eu também gostaria de agradecer à minha agente literária, Helen Rees e à equipe da Wordworks, Inc., — Donna Carpenter, Maurice Coyle, Susan Higgins, Deborah Horvitz, Larry Martz, Cindy Butler Sammons e Robert Shnayerson. Também tive os melhores editores possíveis. Rick Wolff, Dan Ambrosio e Madeleine Schachter, da Warner Books, comandavam a equipe fantástica que me ajudou tornar este livro realidade. Finalmente, gostaria de agradecer ao meu assistente extremamente leal, David Lauer, pelo seu apreciado e interminável compromisso em cumprir os prazos finais necessários para este livro.

E um agradecimento muito especial a todo o pessoal fardado que serve ao grande país que são os Estados Unidos.